ONRUSTIG HART

Gerda van Wageningen

Onrustig hart

HONDERDSTE ROMAN

VCL serie

ISBN 978 90 5977 207 6
NUR 344

© 2012 VCL-serie, Utrecht
Omslagillustratie en -ontwerp: Bas Mazur
www.vclserie.nl
ISSN 0923-134X

1

Het was nog donker en heel stil in huis. Metje Huisman draaide zich onrustig om. Vannacht had ze wel tweemaal uit de bedstee gemoeten om gebruik te maken van de po, maar ze hield zichzelf voor dat ze helemaal niet zenuwachtig was. Met een zucht ging ze overeind zitten. Het zou wel bijna tijd zijn om op te staan, dacht ze. Hilly, haar twee jaar jongere zusje met wie ze de bedstee deelde, draaide zich mompelend om in haar slaap. Metje haalde eens diep adem. Ze was inmiddels klaarwakker! Nog even, dan werd het lichter. Vandaag was immers het begin van een heel nieuw hoofdstuk in hun levens. Niet alleen in dat van haar, maar in die van het hele gezin.

In de afgelopen maanden, sinds het begin van dit jaar, was er net buiten het dorp Oud Beijerland een fabriek gebouwd. Een suikerfabriek, en veel arbeiders uit het dorp vonden daar werk. Haar vader ook en indirect zijzelf eveneens. Ze had een dienstje gekregen als keukenmeid bij een van de drie nieuwe directeuren.

De gebouwen die waren verrezen op de plaats buiten het dorp aan de rivier, waren nieuw. In de afgelopen tijd waren echter de machines en werktuigen van twee kleine suikerfabrieken uit Brabant overgebracht en in die nieuwe fabrieken geplaatst. Nu was het eind september van het jaar 1902, en binnenkort zou de nieuwe fabriek gaan proefstomen, om te kijken of alles naar wens werkte. De tijd drong. De bieten werden momenteel door de boeren gerooid en de traditie wilde dat suikerbieten tijdens de campagne van september tot Kerstmis werden verwerkt tot suiker. Suikerbieten konden nu eenmaal slecht tegen de vorst.

Het was in het dorp nog nooit zo druk en bedrijvig geweest als in de afgelopen maanden. Nu ja, heel misschien een handjevol jaren geleden, toen de rails moest worden aangelegd waarover inmiddels de stoomtrams waren gaan rijden! De nieuwe fabriek was gebouwd net buiten het dorp, waar ook een tweede haven was gegraven om de fabriek bereikbaar te maken voor vrachtschepen, die er hun ladingen bieten moesten kunnen afleveren. Er was een aftakking gemaakt van de rails, zodat de stoomtram ook naar de fabriek kon rijden met hetzelfde doel. Er waren nieuwe huizen neergezet net buiten het Zandpad, voor de ervaren arbeiders die uit Brabant meekwamen met hun directeuren. Veel mannen uit hun dorp hadden daar in de afgelopen tijd een boterham aan verdiend. Boeren uit de omtrek hadden weleens gemopperd, want hun landarbeiders werkten ineens liever op de fabriek of in de bouw, omdat ze dan meer konden verdienen. Haar vader eveneens. En vader was zelfs aangenomen om straks in de suikerfabriek te gaan werken. Dat betekende gedurende vier maanden per jaar een vast en goed inkomen. Vader Huisman was een slimme man, die ondanks zijn gebrek aan scholing altijd zijn best had gedaan zijn gezin te eten te geven door hard te werken. Vader hoopte vooruit te kunnen komen en de fabriek bood mannen als hij plotseling onverwachte kansen, die er vroeger niet waren geweest in hun plattelandsdorp. Heel het gezin Huisman hoopte dat de dagen voorgoed voorbij waren dat ze met een lege maag in de bedstee moesten kruipen, omdat er voor het avondbrood niet meer dan een enkele snee roggebrood was geweest, wat natuurlijk niet genoeg was om een hongerige maag te vullen na een lange dag van hard werken. Vaak was dat nog een boterham met tevredenheid geweest ook, niet eens met suiker of stroop erop, gewoon droog brood omdat er geen margarine meer was, of geen stroopvet.

Metje zat inmiddels overeind en geeuwde nog eens hartgrondig. Daarna stond ze naast de bedstee, omdat ze hoorde hoe haar moeder zuchtend en licht kreunend als altijd uit de bedstee kwam en even later de olielamp aanstak. De vlam brandde slechts laag. Het was schemerig in de woonkeuken van het huis. Moeder liep naar het fornuis om het vuur op te rakelen en haar schaduw was vaag te zien in het flauwe licht. Metje kwam nu eveneens uit de bedstee. Ze verwisselde meteen haar nachtjapon voor haar daagse werkgoed en bond het blauwe werkschort voor. Meteen daarna liep ze naar buiten, om hun kleine arbeiderswoning heen, om de luiken open te doen in de ochtendschemering, zodat de lamp niet onnodig hoefde te blijven branden. Ze ging naar de waterpomp die ze met nog drie andere gezinnen moesten delen om haar gezicht en armen te wassen, haastte zich naar het huisje dat eveneens door vier gezinnen gedeeld moest worden en ging huiverend in de kille ochtendmist weer naar binnen. Haar vader was inmiddels ook wakker geworden en mopperde wat voor zich uit in de andere bedstee, zoals gewoonlijk. Vader kon er 's morgens niet uit komen en er 's avonds niet in. Moeder moest altijd op hem mopperen, maar dat was al zo zolang Metje zich dat kon herinneren. Binnen brandde het fornuis inmiddels al goed door en het vuur begon een aangename warmte te verspreiden in het kleine, kille arbeidershuis. De ketel met water was op het vuur geschoven en het zou niet lang duren eer die ging zingen.

De piepkleine voorkamer van het huis was de zogeheten mooie kamer. Daar stonden een tafel met stoelen eromheen, een gemakkelijke leunstoel voor vader en wat mooie spullen, meestal nog uit de boedel van haar grootouders. Bijna iedereen had een mooie kamer waar ze bijna nooit zaten en waar alleen op zondag werd gestookt en gegeten. Deftige visite als de dominee werden ook in de mooie kamer ontvangen, maar bij arme mensen kwam die niet zo vaak.

Achter de mooie kamer was de veel ruimere keuken met twee bedsteden erin. In de ene bedstee sliepen haar ouders, de andere werd gedeeld door de twee zussen. Gelukkig hadden ze niet, zoals zoveel andere gezinnen, een hele rits kinderen. Haar broers moesten op zolder slapen. Vooral in de winter was het daar koud en tochtig; op sommige plekken op zolder kon je immers zo door de kieren naar buiten kijken en in een heldere winternacht de sterren zien flonkeren.

Haar moeder keek oplettend op toen Metje haar vlecht losmaakte om haar haren te borstelen. 'Toe maar,' mompelde moe, 'je wilt zeker netjes voor de dag komen?' Vrouwen droegen allemaal hun lange haar in een knot. Het haar van een vrouw mocht niet afgeknipt worden. De spelden werden voor de nacht uit de knot getrokken, maar het haar bleef doorgaans gevlochten als een vrouw ging slapen. Eens in de paar weken werd een vlecht losgemaakt als het haar gewassen moest worden, meer niet.

Op het fornuis kwam de ketel met water inmiddels aan de kook en niet veel later geurde het lekker naar koffie. De oudere vrouw vlocht het haar van haar oudste dochter. Dat gebeurde soms met harde hand, waardoor bij Metje de tranen in de ogen sprongen als moe trok. Zelf stak ze even later de door de opgerolde vlecht gevormde knot met een paar haarspelden vast in haar nek. Tevreden keek ze in de gebroken spiegel die aan een spijker in het klompenhok hing. Het zat netjes. Zo kon ze voor de dag komen bij de vrouw van de directeur.

'Je moet een muts op,' bromde haar moeder evenwel met een afkeurende blik in haar ogen.

'Een dienstbodenmutsje, straks, moeder. De gehaakte doordeweekse muts van de klederdracht wordt door steeds minder jonge vrouwen gedragen, dat weet u best.'

'Niets gedaan,' bromde haar moeder nors, terwijl ze dikke sneden brood neerlegde, op elk van de zes borden twee sneden, eerlijk verdeeld en niemand kon te veel eten. Alleen vader kreeg drie sneden brood, en nog eens vier dikke sneden mee in zijn stikkezak. Zo heette de katoenen zak waarin alle arbeiders hun middageten mee naar het werk namen, samen met een aarden kruik met koude thee om de dorst te lessen. Soms met suiker in de thee, dat vond vader lekker, maar soms ook niet, want suiker was duur en daar moest spaarzaam mee worden omgegaan. Moeder zou nooit te veel centen uitgeven en iets op laten schrijven, als ze boodschappen nodig had. Dan raakte een mens al te gemakkelijk in de schulden en dat was een schande. Dan maar liever een lege maag of te vaak gestopte sokken, als er geen geld was om wol te kopen om nieuwe sokken te breien! Sommige mensen tilden er niet zwaar aan om schuld te maken, maar de meeste dorpelingen probeerden rond te komen van het geld dat werd verdiend door de man in huis, en meestal was dat niet meer dan een paar gulden in de week. Haar vader verdiende momenteel acht gulden in de week in de fabriek. Vroeger, als los landarbeider, was dat beduidend minder geweest, en waren er vaak weken geweest dat ze moesten rondkomen van vier of vijf gulden, waar niet alleen de huur van moest worden betaald, maar waar ook een heel gezin van moest eten.

Zoals gebruikelijk moesten de kinderen Huisman gaan werken zodra ze de lagere school doorlopen hadden. Haar broers waren met hun vader meegegaan naar het land. Cees was de oudste van de kinderen. Hij was een jaar geleden getrouwd met Antje en woonde in een arbeidershuisje vlak bij de grote boerderij van zijn boer. Hij werkte nog steeds op het land, maar wel als vaste paardenknecht. Toen hij trouwde moesten vader en moeder zijn inkomsten missen, want zoals overal was het gebruikelijk dat werkende kinderen hun loon afdroegen om slechts een zakcentje over te houden. Niettemin kregen gezinnen het een stuk gemakkelijker als er een paar kinderen oud genoeg waren geworden om ook wat geld in het laatje te brengen!

Huib was haar tweede broer en hij was in de leer bij de timmerman en Izak, de jongste, was pas veertien en werkte als leerling-sigarenmaker in de sigarenfabriek aan de Molendijk. Hilly was dienstbode bij een oudere weduwe in het dorp, die graag wilde dat het meisje bij haar in huis kwam wonen als dienstbode voor dag en nacht, maar Hilly zelf wilde dat niet. Haar mevrouw was vaak ziek en ze was bang dat ze haar ook 's nachts voor van alles en nog wat zou gaan roepen, want het was geen gemakkelijke mevrouw. Hilly had het niet erg naar haar zin en hoopte dat ze een beter dienstje zou kunnen krijgen. Maar de oudere mevrouw betaalde best goed, en moeder wilde daarom dat Hilly bij haar mevrouw zou blijven.

Zelf had Metje eerst gediend bij de vrouw van de smid. Die had het erg gevonden dat Metje wegging, maar ze kon haar niet zo veel betalen als de directeursvrouw van de suikerfabriek en Metje was maar wat blij dat ze dat dienstje kon krijgen in het mooie grote huis dat voor de directeur was gebouwd. Kortgeleden waren de gezinnen van de mensen uit Brabant in de nieuw gebouwde huizen komen wonen. De meegekomen directeuren waren vroeger directeur geweest van kleine suikerfabrieken in Oosterhout en Roosendaal. Deze fabrieken waren na de campagne van het vorige jaar gesloten en ontmanteld, waarna alle toebehoren en installaties van die plaatsen naar Oud Beijerland waren overgebracht. De nieuwe suikerfabriek, ook wel de peefabriek genoemd in de volksmond omdat bieten in het dialect van hun eiland peeën werden genoemd, was nu een van de grootste in het hele land. Het voordeel van deze fabriek met dubbele installaties was dat als er weinig aanbod van bieten zou zijn in jaren met een slechte oogst, niet de hele fabriek draaiende hoefde te worden gehouden, maar dat men dan ook op halve kracht zou kunnen draaien. Bovendien lag de fabriek pal aan de rivier het Spui, en dat was gunstig voor suikerfabrieken. Er was immers veel water nodig, om van bieten suiker te maken. De meeste bieten werden per schip aangevoerd. Alleen de boeren uit de directe omgeving zouden hun bieten met paard-en-wagen naar de fabriek gaan brengen. Als boeren iets verder weg woonden, zouden de bieten met de stoomtram worden aangevoerd, zodat de boeren hun bieten slechts met paard-en-wagen naar de laadplaatsen brachten die bij de tramlijn lagen en die daarvoor speciaal waren aangelegd. Schepen van nog verder weg meerden af in de nieuwe haven. Er was eveneens een grote bezinkvijver gegraven, waar de klei die van de bieten vrijkwam, in kon worden opgeslagen. Het terrein van de fabriek was ongekend groot volgens de begrippen van de dorpsbewoners. Verder stonden er in het dorp immers alleen wat kleine fabriekjes, meest bij de dorpshaven die tot voor kort slechts aan één kant bebouwd was geweest.

Ondertussen had Metje de boterhammen voor haar vader en broers gesmeerd en in de stikkezakken gedaan, en haar moeder had de kruiken met koude thee gevuld en klaargezet.

Inmiddels was het een drukte van belang in de keuken. De jongens liepen in en uit naar de waterpomp om zich te wassen. Hilly en vader hadden zich nog eens omgedraaid, maar moeder porde ze niet bepaald zachtzinnig, zodat ze ten slotte om het hardst mopperend ook uit de bedstee kwamen. 'Schiet op, het is al zes uur geweest.'

Gegeten werd er in stilte en iedereen kon nog zo veel haast hebben, men ging niet van tafel zonder dat vader een stuk uit de Bijbel had voorgelezen en een dankgebed had uitgesproken.

'Jij moet straks vast een kruisje slaan bij je nieuwe mevrouw,' grinnikte Hilly plagend tegen Metje. 'Ze zijn allemaal katholiek, die Brabanders.'

'Dat is het grote minpunt,' vond haar moeder zuinigjes. 'Er komt vast gedoe om het geloof, dat is altijd zo, en al helemaal als jongelui met elkaar gaan verkeren. Twee geloven op een kussen, daar slaapt nu eenmaal de duivel tussen.'

'We mogen wel blij zijn dat de tijd van Calvijn voorbij is, moe,' mompelde Metje half grinnikend. 'Toen wisten ze wel raad met de brandstapel voor andersdenkenden.'

'Spot er niet mee.'

Metje beperkte zich snel tot de nuchtere werkelijkheid. 'Ik ga beter verdienen, moe,' ging ze verder. 'Bovendien hoop ik dat mevrouw De Beijer aardig is.' De mevrouw van haar vorige dienstje was vaak ontevreden geweest, over haar huis, over haar man, over het personeel en misschien ook wel over zichzelf, maar daar was Metje niet zeker van.

'Het is afwachten.'

In een paar minuten tijd was het stil geworden in huis toen het manvolk was vertrokken. Hilly at met lange tanden de rest van haar brood op. Ze had het liever meegenomen om het later op te eten, maar dat werd niet goedgevonden. Etenstijd was etenstijd voor moeder Huisman. Metje wierp nog een laatste blik in de gebroken spiegel in het klompenhok. Ze trok haar rok recht, zette met tegenzin de gehaakte doordeweekse muts op die alle vrouwen in het dorp hoorden te dragen, behalve de joodse, en even later viel de deur achter haar dicht.

Het was niet ver lopen. Het dorp was immers niet groot. Binnen tien minuten keek ze met ontzag naar het deftige huis waar ze vanaf vandaag zou dienen. Ze haalde eens diep adem omdat ze zich inmiddels toch wel behoorlijk zenuwachtig voelde, en liep even later achterom. Het was immers ondenkbaar om aan te bellen! Voordeuren werden zelden of nooit gebruikt op het platteland en al helemaal niet door personeel. Ze klopte op de achterdeur en het bleef lang stil eer een gezette, wat oudere vrouw haar vragend aankeek. 'Jij bent zeker de nieuwe meid?'

'Ja, mevrouw.'

'Juffrouw. Ik ben juffrouw Vogelaar en de huishoudster hier. Mijn man is knecht, koetsier en manusje van alles tegelijk. Kom er maar in, kind. Hoe heet je eigenlijk?'

'Metje Huisman, juffrouw Vogelaar.'

'Heb je geen schoenen?' De oudere vrouw keek naar de zwarte kousen met grote stoppen erin. Metje had haar klompen vanzelfsprekend buiten de deur laten staan.

'Alleen zondagse, mevrouw.'

'Je moet morgen op schoenen komen. Schoenen horen bij er netjes uitzien. Ik zal je voor vandaag sloffen geven, maar die mag je niet dragen als visite je kan zien. Kleed je nu eerst maar om en als mevrouw later is gekleed en haar ontbijt wil hebben, zo rond een uur of negen, zal ik je wel naar haar toe brengen om kennis te maken. Of heeft ze je zelf aangenomen?'

Metje schudde het hoofd. 'Dat heeft mijnheer gedaan. Mijn vader werkt op de fabriek en heeft daar laten weten dat ik een nieuw dienstje zocht. Toen moest ik bij mijnheer op kantoor komen. Dat duurde maar een paar minuten en mij is gezegd dat ik vandaag om zeven uur moest komen. Meer niet. Ik moest alleen maar ja zeggen op de vraag of ik gezond was en het dienen gewend was en toen zei mijnheer wat ik ging verdienen.'

'Waarom wilde je daar weg?'

'Mijn oude mevrouw was... niet altijd even gemakkelijk,

12

en ze was niet langer tevreden over mij.'

'Wie zegt dat dat hier anders is?'

'Niemand, juffrouw Vogelaar. Ik heb als gebruikelijk in mei al opgezegd, maar omdat er geen andere meid was, ben ik toch tot vorige week gebleven.'

'Het is maar dat je weet dat je hier flink de handen uit de mouwen moet steken. Je moet een zwarte rok en blouse aan.'

'Ik heb mijn werkkleren aangetrokken, vanmorgen.' Ze deed haar omslagdoek af en bleef er aarzelend mee in haar handen staan.

'Ik zal je zometeen alles wijzen. Je krijgt twee stel werkkleren van hier, en vier schorten. Twee werkschorten, zodat je altijd een schone aan kunt trekken, en twee witte schortjes voor als er bezoek komt of als je de deur open moet doen. Mevrouw houdt ervan als haar personeel er verzorgd uitziet. Dus ook geen losgepiekte haren! De kleren kun je gewoon aanhouden als je naar huis gaat en je moet ze zelf schoonhouden en wassen. Altijd een dienstbodenmutsje op en dat moet kraakhelder zijn. Die gehaakte muts laat je voortaan maar thuis. Verzorg je nagels, zwarte randen zijn een gruwel in de ogen van mevrouw en mijnheer. Ga nooit ongevraagd of zonder klop een kamer in waarin mevrouw of mijnheer aanwezig is. Wacht dan tot zij roepen dat je binnen kunt komen. En probeer netjes te spreken. Geen dialect dus.'

'Ja, juffrouw.'

Ze had een kleur gekregen van al die instructies en even twijfelde ze heftig of het wel goed was geweest haar vorige dienst op te zeggen voor een plek hier.

'Kleed je maar om en kom dan naar de keuken. Daar ben ik meestal. We zullen je taken bespreken en ik zal je het huis laten zien.'

Metje knikte stom. 'Goed, juffrouw.' Ze moest er dus op letten om netjes te praten, zoals de andere vrouw dat noemde. Ze kon aan de stem van de oudere huishoudster goed horen dat die niet van hier was, besefte ze.

Haar handen beefden toen ze probeerde de gesteven

13

dienstbodenmuts zo netjes mogelijk op te zetten. Schichtig keek ze in de spiegel die in de lange gang hing. Verder was het akelig stil in huis. Waar was iedereen?

Terug in de keuken werd ze monsterend opgenomen. 'Beter,' knikte de oudere vrouw tevreden en eindelijk verscheen er een goedkeurende glimlach om de dunne lippen. 'Kom maar even aan de tafel zitten. Hier, ik schenk een kom koffie voor je in. Je zult best wel een beetje zenuwachtig zijn.'

Metje kreeg plotseling een kleur als vuur. Ze knikte en ging zitten, nam met een verraste blik in haar ogen een heus roomboterkoekje van de schaal die haar werd voorgehouden. 'Dank u, dat is lekker!'

De ander grinnikte onverwachts en de vrouw, die misschien wel vijftig jaar of zo moest zijn, in ieder geval was ze ouder dan moe, kreeg ineens een ondeugend lichtje in haar bruine ogen. 'Mevrouw wil geen gebroken koekjes zien. Ik help de koekjes dus weleens een handje met breken, want ik ben er gek op.'

Metje durfde nauwelijks te glimlachen, maar de kleur op haar wangen moest nog dieper zijn geworden. Ze nam een slokje koffie. Heerlijk, wat een lekkere koffie! En koek erbij! Wat een voorrecht moest het zijn, om zo te kunnen leven! Maar ja, ze was een arbeidersdochter. Zo veel luxe deftigheid was voor een arbeiderskind nu eenmaal nooit weggelegd.

Ze lette goed op tijdens de regen van instructies die ze nu kreeg. Om zeven uur beginnen. Nu het kouder werd, zou het haar eerste taak zijn de kachels aan te steken in de salon en de slaapkamer. Mijnheer was meestal al op en vertrok zo snel mogelijk naar de fabriek. Mevrouw sliep gewoonlijk tot een uur of acht, dus ze moest dan zachtjes de slaapkamer in sluipen en vooral geen lawaai maken. Het was voor mevrouw aangenaam om niet in een koude slaapkamer op te hoeven staan. Als mevrouw klaar was met haar toilet, moest het vuur in die kamer weer worden toegedekt om verspilling te voorkomen. 's Avonds voor het slapengaan zorgde Vogelaar ervoor dat het daar niet te koud was voor mevrouw en mijnheer.

Daarna stond de juffrouw op en Metje volgde haar nieuwsgierig terwijl ze haar het hele huis liet zien, behalve de kamer van mevrouw De Beijer, die nog lag te slapen.

Het oudere echtpaar bleek twee kamers op zolder te hebben, een eigen zitkamer en een slaapkamer. Juffrouw Vogelaar was alle dagen om zes uur al beneden om het fornuis in de keuken goed door te laten branden en verse koffie te zetten en havermoutpap te koken voor mijnheer. Alleen op zondag kon ze een uurtje later opstaan.

Als de kachels brandden en mijnheer vertrokken was, begonnen de gebruikelijke huishoudelijke klussen. Stof afnemen, zwabberen, de salon moest vanzelfsprekend aan kant zijn als mevrouw beneden kwam. Voor het zware werk kwam elke donderdagmorgen een werkster; Metje moest haar wel helpen. Als de bel ging, moest Metje haar werkschort verwisselen voor een net wit schort en zich haasten om de deur te openen. Verder moest ze maar liefst zo onzichtbaar mogelijk blijven. Zelf zou de huishoudster zo nu en dan helpen met het schoonmaken, maar haar voornaamste taak waren het verzorgen van de maaltijden en zorgen dat er altijd voldoende op voorraad was. Haar man bracht mijnheer naar de fabriek. Als mijnheer hem nodig had, bleef hij daar, anders zorgde hij voor de paarden en de tuin en allerhande zware klussen waar ze zijn hulp voor inriepen.

'Zijn er geen kinderen?' vroeg Metje toen de ander eindelijk zweeg.

'Mijnheer en mevrouw hebben een zoon en een dochter, maar beiden zijn al getrouwd. De dochter heeft een kindje en het tweede kleinkind, van haar zoon, is onderweg en zal zo rond Kerstmis geboren worden.'

Weer knikte Metje. Het lag op het puntje van haar tong om te zeggen dat er hier wel veel personeel was om alleen voor twee mensen te zorgen, maar het was een groot en deftig huis.

'De was wordt uitbesteed,' vertelde de huishoudster nog.

'Wel moet je op donderdag helpen alles in de boenwas zetten. Op vrijdag ontving mevrouw altijd visite voor we hierheen verhuisden, maar ik weet niet of dat weer gaat gebeuren nu we hier zijn komen wonen. Tot nog toe niet. Op zaterdagmorgen moet je buiten de ramen zemen, zodat alles er piekfijn uitziet voor de zondag.'

'Ja, juffrouw.'

'Het zal je ondertussen wel duizelen. Kom, we gaan samen de tafel in orde maken in de eetkamer, voor het mijn tijd is om mevrouw te gaan wekken met een kopje verse thee en een beschuitje.'

Metje haalde diep adem en moest zichzelf vermannen. Onzeker volgde ze de huishoudster, bang geluid te maken waardoor de nog onbekende mevrouw misschien wakker zou kunnen worden. Ergens sloeg een klok. Was het al acht uur? Wat moest ze nu gaan doen? Juffrouw Vogelaar gaf haar de opdracht de salon te stoffen en ze was blij bezig te kunnen zijn en even alleen te kunnen zijn om op adem te komen.

2

' Je bent laat.'
Haar moeder keek Metje onderzoekend aan toen ze die avond pas tegen zeven uur het huis binnenkwam. 'Ik heb een prakje voor je op het fornuis bewaard. Het is nog warm. Eet maar gauw op. Je zult wel honger hebben als je zo hard hebt moeten werken!'

Metje ging met een vage glimlach om haar mond aan de keukentafel zitten en schudde het hoofd. 'Niet echt, moe. Ik heb tussen de middag al warm gegeten, en hoe!'

'Ja, de directeur neemt vast en zeker geen stikkezak en koude thee mee naar de fabriek!' bromde haar vader goedmoedig, die wakker was geschrokken nadat hij in zijn stoel in slaap was gesukkeld, na een lange dag hard werken in de suikerfabriek.

Vroeger aten ze net als de meeste mensen tussen de middag warm. Als vader lange dagen op het land werkte, in de oogsttijd, nam hij toen ook een stikkezak mee en aten ze noodgedwongen pas 's avonds warm, maar op het platteland was het nu eenmaal de gewoonte om tussen de middag de warme maaltijd te gebruiken. Wie echter op een fabriek werkte, kon dat niet en nam dus zijn brood mee. In de meeste gevallen paste het hele gezin zich aan de veranderde omstandigheden aan en werd er daarom 's avonds met elkaar warm gegeten.

'Inderdaad, vader. Vogelaar moet mijnheer ophalen en na het eten weer terugbrengen. Met de koets, stel je voor! Kan zo'n man dat kleine eindje niet gewoon lopen?'

'Het regende vandaag, misschien is hij bang om nat te worden?' grinnikte Hilly en iedereen schoot in de lach.

'Of ze willen graag indruk maken in het dorp, met al hun deftigheid,' dacht haar middelste broer Huib. 'Ze zijn uiteindelijk vreemd hier.'

Moe zette het warm gehouden emaillen schaaltje toch maar voor Metje neer. 'Hier, kind, eet dan toch maar lekker op, dat doet je goed. Sperzieboontjes, die lust je graag, en

17

vandaag hebben we er allemaal een stukje spek bij gekregen. Nu je vader op de fabriek werkt en de kinderen allemaal meeverdienen, kunnen we dat best betalen, zo nu en dan.'

'Om te vieren dat ik nu een deftig dienstje heb? Maar het is lekker, moe. Ik kreeg tussen de middag een balletje gehakt, ook al zo lekker, en ik mocht net zoveel eten als ik maar lustte. De aardappelen die over waren van gisteren heeft juffrouw Vogelaar opgebakken, en er was bloemkool, allemaal een schepje, die werd wel keurig verdeeld want groente is duur, maar aardappelen waren er meer dan genoeg en mocht ik zelf naar behoefte opscheppen. We hebben met ons drieën in de keuken gegeten. Juffrouw Vogelaar is best streng, ik ben eigenlijk een beetje bang van haar, omdat ze me de hele dag op de vingers wil kijken of ik alles wel naar haar zin doe. Maar mevrouw zelf lijkt wel een porseleinen poppetje! Ze is klein en tenger en haar huid is bijna net zo wit als melk. Ze krijgt om acht uur een kopje thee en een beschuitje op bed en een uurtje eerder moet ik op mijn tenen de slaapkamer binnensluipen om het vuur in de haard op te rakelen, zodat ze het vooral niet koud krijgt als ze onder de dekens vandaan komt. Vanmorgen zat ze pas om halftien aan tafel! Wat een toestand, zo'n netjes gedekte tafel voor iemand die alleen maar een dun boterhammetje met jam eet. Het leek de koningin wel! Toen ze daarmee klaar was, wilde ze met mij kennismaken.'

'Gek eigenlijk, dat je aangenomen bent door haar man en dat zij je niet eerst hoefde te zien,' mompelde haar moeder, deels nieuwsgierig, voornamelijk omdat ze zulke deftige lui nu eenmaal niet begreep. Ze hadden die mensen ook niet in de kerk zien zitten, want fabrieksmensen die uit Brabant waren gekomen, kerkten natuurlijk allemaal in de katholieke kerk van het dorp en gingen niet of nauwelijks om met protestanten. Zelfs de inkopen deden dorpelingen bij de winkeliers van hun eigen kerk, als dat even mogelijk was. Zijzelf ook. Er waren bijvoorbeeld meerdere bakkers in het dorp. Wie hervormd was, kocht zijn brood bij de bakker die zelf ook hervormd was en dus in hun eigen kerk kwam. Wie gereformeerd was, kocht zijn brood bij de gereformeerde bakker. Dat waren ongeschreven wetten die voor elk plattelandsdorp golden.

'Nu dan, ik moest haar na het ontbijt een kopje koffie brengen. Mijn handen beefden en ik was erg bang dat ik koffie op het schoteltje zou morsen. Maar gelukkig ging het goed. Mevrouw heeft een heel zacht handje met helemaal geen kracht erin.' Metje schudde stomverbaasd haar hoofd. Ze kende geen mensen met zulk zachte handen, want iedereen die hard werkte, ook zijzelf, had handen met eelt erop. 'Maar ze was gelukkig heel vriendelijk. Ze zei met haar zachte stemmetje dat ik maar flink mijn best moest doen, en dat juffrouw Vogelaar zo'n goede huishoudster was dat ik veel van haar kon leren.' Metje nam een hapje eer ze verderging. 'Ik moet mijn werk zo onzichtbaar mogelijk doen en mag niet zomaar een kamer binnenlopen waar mijnheer of mevrouw zitten. 's Morgens houd ik het huis aan kant, alleen op donderdagmorgen komt er een werkvrouw voor het zware werk en dan moet ik haar wel helpen. Juffrouw Vogelaar bemoeit zich voornamelijk met het eten, maar daarbij mag ik haar wel helpen als ik klaar ben met het werk dat ik moet doen. Zij doet ook de inkopen. Soms moet ze met mevrouw mee, als die zelf het dorp in wil om het een of ander te gaan kopen, en dan moet ze de mand voor mevrouw dragen, die dat blijkbaar zelf niet kan of wil. De juffrouw is ongeveer van de leeftijd van mevrouw, eigenlijk al oud, ik denk nog iets ouder dan u, moe. Na het eten gaan ze allebei rusten en dan moet ik in de keuken zilver of koper poetsen, of noem maar op wat voor klusjes ik krijg opgedragen. Als er gebeld wordt, moet ik opendoen, maar dat mag niet met mijn blauwe werkschort voor. Dan moet ik snel een net wit schortje aantrekken en bij mevrouw gaan melden wie er is. Mevrouw leest veel, tja, wat moet zo iemand anders de hele dag doen?' Metje schudde verbaasd haar hoofd. 'Ze leest na het ontbijt de krant, die mijnheer de vorige avond heeft gelezen. Daarna gaat die weg. Ik heb niet durven vragen of ik de krant misschien mee naar huis mocht nemen. Dat wil ik eigenlijk best graag, maar op een eerste dag mag een mens absoluut geen vragen stellen die misschien als brutaal kunnen worden opgevat.'

'Om repen van de krant te knippen om die bij de doos te leggen?' vroeg Hilly grinnikend. 'Dan kunnen we er ons achterste mee afvegen.'

'Eerst lezen,' dacht Metje schouderophalend. 'Dan weten we wat er in de wereld gebeurt, het is een goede oefening. Ik lees nu eenmaal graag.'

'Je hebt je bijbeltje,' mompelde haar moeder, die niet veel ophad met het gemak waarmee haar oudste dochter altijd naar kennis hunkerde. Lezen was in de ogen van haar moeder hooguit iets voor deftige heren, maar zeker niets voor een arbeiderskind, en al helemaal niet voor een dochter! Meisjes trouwden, die hadden dergelijke wijsheden nergens voor nodig, was de mening, die haar ouders overigens met de meeste andere mensen deelden. Zelf kon moe goed lezen, maar ze vond dat beslist geen verdienste.

'En toch vraag ik om de krant, als ik dat op een dag durf,' stribbelde Metje koppig tegen. 'Vader, is het waar dat de fabriek binnenkort gaat proefstomen?'

Nieuwe fabrieken zoals de suikerfabriek werkten allemaal op stoommachines. Nu die waren geïnstalleerd, moest natuurlijk alles grondig worden gecontroleerd en dan proefdraaien, voor het echte werk kon gaan beginnen.

'Ja,' bromde de man, die na zijn hazenslaapje lekker was opgeknapt en Metje onderzoekend aankeek. Hij vond dat verlangen naar boekenwijsheid van Metje al even afkeurenswaardig als zijn vrouw, maar nu hij sinds een paar weken in de fabriek werkte en daar zag hoe mensen die wel een goede schoolopleiding hadden genoten zelden nog zwaar lichamelijk werk hoefden te doen, en de hele dag comfortabel met hun luie achterwerk in een stoel konden blijven zitten, of hooguit eens met een geleerd gezicht door de fabriek liepen om te kijken of de arbeiders wel genoeg hun best deden, besefte hij best dat het een groot voorrecht voor mannen was als ze inderdaad langer naar school konden gaan dan gewo-

ne dorpsjongens deden. Ja, hier leerden de zoon van de notaris, de burgemeester en de dokter ook langer door, maar dat
waren notabelen en daar gingen arbeiders nu eenmaal niet
mee om. 'Eigenlijk is het proefstomen al uitgesteld en hadden we zo langzamerhand moeten draaien, want de campagne moet voor de kerst zijn afgerond. Er is tegenslag geweest,
en dat is iets waar niet op gerekend was. De bieten worden
al aangevoerd, bieten dan die per schip komen.'

'Er zijn nogal wat mannen die graag bij de kade kijken,'
wist Hilly. 'Iedereen is nieuwsgierig naar wat er bij de
fabriek gebeurt. Ze zeggen dat de lossers vreselijk hard moeten werken.'

'De bieten worden in de ruimen van de schepen in manden
gedaan, soms gebeurt dat zelfs door vrouwen. Die gevulde
manden worden daarna met kruiwagens aan land gebracht.
Ja, dat is zwaar werk, vooral nu het nat weer is en er veel klei
aan de bieten zit. Het is daardoor spekglad op de loopplan-
ken en op de kade, vanwege de natte modder. Iedereen moet
goed opletten, want daar komen gemakkelijk ongelukken
van.'

'En dat in regen, wind of kou,' huiverde moeder Huisman.
Ze had het als huisvrouw zeker ook niet gemakkelijk, maar
alles liever dan het zware werk van een eenvoudige arbeider.
Oudere mannen liepen niet voor niets vaak krom door een
versleten rug, met stramme ledematen van de reumatiek, na
een leven lang sjouwen en zwoegen. En ze had inderdaad in
het dorp horen vertellen dat enkele vrouwen van die Brabanders meewerkten bij het lossen van de bieten. Ach ja, wie
honger had kon vaak geen andere keuze maken!

'Het is te hopen dat alles naar wens verloopt en dat de
fabriek snel echt kan gaan draaien,' bromde vader nog. 'Dat
betekent brood op de plank in heel wat huizen.'

Inmiddels was het koffietijd geworden en moeder Huisman
schonk voor hen allemaal een kom warme, zoete koffie in.
Metje merkte dat ze best moe was, net als vader, misschien
nog het meest omdat ze de hele dag toch een tikje zenuwachtig was geweest en zo bang was geweest om ook maar

iets fout te doen in het deftige huis waar ze nu werkte. Ze besefte echter een ding duidelijk. Juffrouw Vogelaar was een goede huishoudster en een uitstekende kokkin. Als ze goed oplette, kon ze van haar veel leren en misschien kon ze ooit, in het geval ze niet zou trouwen, zelf huishoudster worden in een deftig huishouden. Dan had je toch een goed leven! In stilte vergeleek ze juffrouw Vogelaar met haar eigen moeder. Moeder moest alle dagen zwoegen, en wat te denken van alle zorgen als ze haar gezin niet voldoende eten voor had kunnen zetten? Als er nieuwe kleren moesten komen en er geen geld was voor een lap stof, sokkenwol of nieuwe klompen? Ze keek haar moeder peinzend aan, terwijl ze aan de koffie nipte. 'Ik moet morgen op mijn schoenen komen. Dat vinden ze netter dan klompen die voor de achterdeur staan, moe.'

'Je hebt maar één paar, voor de zondag, en daar moeten eigenlijk nieuwe zolen onder.'

'Het is me gezegd, dus het moet wel. Stel je voor, moe, ik kreeg zelfs koek bij de koffie! Mevrouw wil geen gebroken koek of kruimels zien en juffrouw Vogelaar is zo'n zoetekauw, dat ze er wel voor zorgt dat er voldoende gebroken koekjes in de keuken achterblijven.' Hilly schoot hardop in de lach. 'En we krijgen elke dag een stukje vlees of spek bij het eten, zegt ze, daar blijft een mens van op krachten. Ik kan het nog niet geloven, ik mocht zoveel eten als ik maar lustte en heb vanavond zelfs een boterham met gebakken bloedworst mogen eten, voor ik naar huis ging. Mijnheer eet graag gebakken bloedworst op zijn brood. Wat was dat lekker, moe!'

De oudere vrouw moest ongelovig lachen. 'Ja, ja, wie het breed heeft, laat het breed hangen,' mompelde ze hoofdschuddend. 'Gebakken bloedworst, dat is inderdaad erg lekker, maar wanneer eten wij dat nu?'

'Precies, moe, maar als ik bij mevrouw eet, hoef ik hier minder te eten en dat kunnen jullie dan weer extra eten,' peinsde Metje hardop. 'Dat scheelt immers weer.'

'Nu ik in de fabriek werk, hebben we ook meer geld,' bromde vader, want net als alle mannen vond hij het uitermate vervelend als er ook maar iets opgemerkt werd waardoor iemand zou kunnen denken dat hij niet bij machte was in voldoende mate zijn gezin te onderhouden. Dat het zo was, was een ding en dat gold voor de meeste arbeidersgezinnen, maar daarom hoefde het nog niet zo ronduit uitgesproken te worden! De oudere man geeuwde. 'Ik ben moe. Ik ga vast in de bedstee liggen. Kom je zo ook, vrouw?'

'Het is nog maar net halfnegen!'

'Nog maar een halfuurtje tot het negen uur is, en dat is voor gewone mensen de gebruikelijke bedtijd. Ik wacht op je.'

Moeder zuchtte eens, en Metje bloosde een beetje. Ze was eenentwintig en hoorde natuurlijk niets te weten van de geheimen van het huwelijk, maar ze was een meisje uit een plattelandsdorp en soms waren er uit de bedstee van haar ouders geluiden te horen. Ach, het fijne wist ze er vanzelfsprekend niet van, maar een ding besefte ze best, zo jong als ze was. Mannen konden nog zo moe zijn, er waren vleselijke lusten, zoals dat in de Bijbel werd genoemd, en kennelijk hadden mannen daar nog steeds behoefte aan, al hadden ze nergens anders nog energie voor over.

Hilly sliep al snel. Zelf lag Metje te luisteren tot het geluid in de andere bedstee weer was verstomd. Haar broers lagen boven om het een of ander te grinniken. Ze lag op haar rug en besefte dat ze nog helemaal geen slaap had. De dag was te enerverend geweest om al meteen in slaap te kunnen vallen. Ze draaide zich rusteloos van haar ene zij op de andere en piekerde erover of ze zelf net zo'n leven zou krijgen als haar moeder. Vol zorgen, hard werken, een man die altijd gelijk had en aan wie ze haar eigen verlangens en behoeften te allen tijde ondergeschikt moest maken, want zo was het nu eenmaal. Mannen waren de baas. Ze draaide zich zuchtend nogmaals om.

'Je moet naar de fabriek en mijnheer halen.'

Geschrokken keek Metje naar juffrouw Vogelaar. 'Is er iets aan de hand?'

'Doe je witte schort voor en stel geen vragen! Was je handen. Kom nu, geen tijd verliezen met onnodig getreuzel.'

'Maar... wat moet ik dan zeggen?' vroeg Metje geschrokken.

'Mevrouw heeft bericht gekregen over haar schoondochter en is erg overstuur. Kom, het is elf uur, mijnheer moet komen en mijn man is naar de hoefsmid met het koetspaard. Die kan niet gaan. Het is te omslachtig om die eerst te gaan waarschuwen. Toe nu, ik kan zelf niet gaan. Jij bent jong en kunt rennen. Ik moet op mevrouw passen.'

'Maar...'

'Ga naar de portier, en die zorgt er dan wel voor dat je bij mijnheer komt. Toe nu, opschieten!'

Metje rende nauwelijks twee minuten later al naar buiten, haar hart bonzend van de schrik, en ging langs de grote korenmolen net buiten het dorp, het fabrieksterrein langs tot ze een slagboom zag.

In die tussentijd tijd bedacht ze dat er in de afgelopen weken veel was gebeurd. Ze voelde zich niet langer zo vreemd in het deftige huis. Juffrouw Vogelaar was de kwaadste niet, al eiste ze wel van Metje dat die haar handen flink liet wapperen, maar dat was geen punt. De fabriek was inmiddels een week geleden, op 6 november, begonnen met de suikerproductie, nadat de laatste problemen waren opgelost die met het proefstomen aan het licht waren gekomen. Het hele dorp was veranderd nu het in en rond de fabriek een drukte van belang was. Er lag slik op de dijk, omdat de tram daar niet alleen de bemodderde bieten aanvoerde, maar de tramwagens weer terugreden met lekkende pulp die uit de wagons droop, en de stank daarvan bleef in het dorp hangen. Daar mopperden de mensen flink over.

Daar zou ze moeten zijn, dacht ze, bij dat hokje naast de slagboom. Met een hoogrode kleur meldde ze zich. 'Ik ben de meid van mevrouw De Beijer. Mevrouw heeft slecht bericht gehad en dat moet ik van de huishoudster tegen mijnheer zelf zeggen.'

'Ik laat hem wel door iemand waarschuwen.'

'Nee, ik moet het zelf doen, dat is me opgedragen. Laat iemand mij de weg maar wijzen.'

'Nee, jongedame, vrouwen zijn een gevaar in de fabriek. Ik ga wel.'

Ze was brutaal genoeg, misschien ook wel nieuwsgierig genoeg, om de man zwijgend te volgen. Het was een nog jonge kerel, van de leeftijd van Cees of misschien Huib, schatte ze. Ze lette goed op en keek ondertussen haar ogen uit, maar voor ze tijd had om er goed over na te denken, stond ze tegenover een deftig geklede vrouw. Het bleek de secretaresse te zijn, die door de portier werd aangesproken als juffrouw Vermeulen. 'Ik kan geen meid bij mijnheer toelaten,' zei die vastbesloten met neerbuigende stem. 'Voor wie van de heren had u een boodschap?'

Er waren immers drie directeuren meegekomen uit Brabant. Een was verantwoordelijk voor de administratie, de tweede was de man van de techniek en de derde zou verantwoordelijk zijn voor de suikerverkoop. 'Mevrouw De Beijer heeft slecht nieuws gekregen en is onwel geworden,' antwoordde ze zo rustig mogelijk. 'Is mijnheer in dat kantoor? Wilt u hem dan alstublieft meteen zeggen dat zijn thuiskomst dringend gewenst is?' Metje sprak zo deftig mogelijk. Ze begon er al een beetje aan gewend te raken niet de hele tijd terug te vallen op het vertrouwde dialect dat alle gewone mensen spraken.

De deftige jonge vrouw leek nog steeds te aarzelen. Metje haalde diep adem. 'Alstublieft. Ik ben ook maar gestuurd, en als mijnheer niet gewaarschuwd wordt, terwijl dat wel nodig was, wordt hij misschien wel boos op u.'

Dat leek te helpen. De ander stond op en verdween achter een mooie houten deur. Metje aarzelde. Moest ze al weggaan? De portier nam haar van top tot teen op. 'Wie ben jij eigenlijk?'

'Metje Huisman,' antwoordde ze beleefd.

'Ik ben Jan Huijbers. Is Huisman familie van je?'

Ze knikte stug. 'Dat is mijn vader. Hoezo?'

'Ik ken hier nog maar weinig mensen.'

'Ik kan wel horen dat u niet van hier bent. Wij...'

De deur ging weer open. 'Ben je er nog, meisje? Mijnheer is op de hoogte, dus je had beter kunnen vertrekken.'

'Ik ga al,' mompelde ze terwijl ze een vuurrode kleur kreeg.

Ze liep weer achter Huijbers aan, maar heel wat kalmer nu, en ze nam de tijd om even nieuwsgierig rond te kijken. Achter de fabriek, langs de rivier, was de nieuwe haven gegraven, waar de schepen af konden meren en op de kade hun bieten konden lossen. Er werden ook suikerbieten aangevoerd met de stoomtram en boeren uit de naaste omtrek brachten die inmiddels met paard-en-wagen. Dat de fabriek hier was gebouwd, kwam door de gunstige ligging aan de rivier en ook de ruimte, want er waren in de afgelopen maanden allerlei nieuwe gebouwen opgericht, zoals opslagplaatsen. Er was achter in de fabriek een plek waarin de bieten met de hand van het restant loof werden ontdaan en werden gekopt. Ze zag van een afstand bij een grote ketel haar vader bezig, maar die had er geen erg in dat zij daar was en ze liep haastig door, omdat de portier haar streng aankeek. Niet veel later stond ze weer aan de andere kant van de slagboom en liep ze heel wat rustiger terug naar het huis waar ze wekte.

'Komt mijnheer?' vroeg juffrouw Vogelaar geagiteerd.

'Ik denk het wel. Ik kwam niet voorbij de secretaresse, maar ze heeft de boodschap aan mijnheer overgebracht.'

'Mijn man zal zo wel terugkomen. Nu moet mijnheer komen lopen.'

'Dat lijkt me best gezond voor hem. Mijnheer is gezet,' glimlachte Metje, maar de opmerking werd haar niet in dank afgenomen en leverde haar een strenge blik op.

'Mevrouw rust op de sofa. Ik heb haar wat laudanumdruppels gegeven om te kalmeren en een hoofdpijnpoeder omdat ze ineens zo'n last van haar hoofd kreeg.'

Nog steeds had Metje er nog geen idee van wat er nu precies aan de hand was, maar toen ze die avond naar huis liep, wist ze inmiddels dat er een brief gekomen was, waarin stond dat de schoondochter van mevrouw te vroeg bevallen was van een doodgeboren zoontje en dat de geboorte haar erg verzwakt had. Mijnheer had niet geaarzeld. Hij wilde zo snel mogelijk eten, had zijn vrouw opgedragen zich te vermannen. Juffrouw Vogelaar moest een valies pakken en kort na het middaguur waren mijnheer en mevrouw vertrokken, met Vogelaar in hun kielzog, om zo snel mogelijk naar hun zoon te reizen. Dat was nog een hele onderneming trouwens, eerst met de boot, de Oude Maas III, naar Rotterdam, en van daar met de trein naar het Brabantse stadje dat gelukkig een treinverbinding had. Ze zouden er nooit voor het donker kunnen zijn en moesten mogelijk zelfs eerst in Rotterdam overnachten.

Juffrouw Vogelaar had van alle onverwachte drukte en opwinding zelf hoofdpijn gekregen. Metje had een paar boterhammen voor haar klaargemaakt en die met een potje thee helemaal naar boven gebracht, naar de woonkamer van het echtpaar op zolder. De huishoudster keek haar dankbaar aan. 'Dank je, kind. Dat is aardig van je. Ik ben niet gewend dat iemand voor mij zorgt.'

'Kan ik nog iets doen voor ik naar huis ga?' vroeg Metje vriendelijk.

'Eet zelf wat en maak de keuken aan kant, voor je weggaat. Ik hoef er voor niemand meer uit en blijf dus maar lekker in bed liggen. Het is jammer, dat mijn man mee moest met mijnheer en mevrouw. Ik ben bang, zo alleen in het grote huis.'

'Misschien komt hij morgen weer thuis,' troostte ze.

'Misschien, we zullen afwachten. Tot morgen, Metje.'

'Ja, juffrouw Vogelaar, tot morgen dan maar.'

Beneden belegde ze haar drie boterhammen dik met heerlijke boter, met een dikke plak goudgele, romige kaas, en een andere boterham met fijne ham. Op de derde boterham deed ze niet al te zuinig de lekkere jam die eigenlijk alleen voor mevrouw bestemd was. Tjonge, misschien was het niet netjes van haar, zo lekker te eten nu niemand het zag, maar wat was dit alles heerlijk!

Toen ze verzadigd was en alles keurig had opgeruimd, liep ze voldaan naar huis en daar had ze dus een hoop te vertellen.

3

Juffrouw Vogelaar lag met griep in bed. Metje had zo goed en zo kwaad als het ging haar taken overgenomen. Anderhalve week nadat de suikerfabriek was begonnen met draaien, was er al een kink in de kabel gekomen door het onverwacht invallen van een vroege vorstperiode, waardoor het werk grotendeels stil was komen te liggen. Maar toen de vorst weer was geweken, draaide de nieuwe fabriek eindelijk volop! Er waren nu immers nog maar een paar weken tijd overgebleven voor de rest van de suikercampagne.

Mijnheer De Beijer en Vogelaar waren na drie dagen afwezig te zijn geweest, weer thuisgekomen. Mevrouw zou nog een poosje bij haar zoon en schoondochter blijven logeren. De jonge vrouw was erg verzwakt, vertelde mijnheer De Beijer aangeslagen. Het kind was een jongen geweest, de felbegeerde stamhouder van de familie! Zijn schoondochter was erg verdrietig over het onverwachte verlies van haar eerstgeborene. Mevrouw wilde daarna nog een poosje bij haar dochter en haar gezin logeren, want ze miste haar kinderen en kleinkind heel erg, sinds ze met haar man mee was verhuisd naar een dorp waar ze helemaal geen familie had. Ze bleef mogelijk zelfs een week of twee weg.

En nu was juffrouw Vogelaar er beroerd aan toe! Gelukkig had Metje in de afgelopen weken mogen helpen met eten koken en daar had ze al veel van geleerd, dus zo goed en kwaad als het ging, kookte Metje nu voor mijnheer, voor de juffrouw en haar man en voor zichzelf. De kost voor het personeel werd altijd om twaalf uur gegeten en was heel wat eenvoudiger dan wat mijnheer en mevrouw gewoonlijk aten, maar tot haar verrassing bleek de deftige mijnheer De Beijer een liefhebber van eenvoudig eten als boerenkool met worst, en dat kon het personeel evengoed eten.

Als Vogelaar zijn eten op had, ging hij zijn baas ophalen. Die at dan om één uur in zijn eentje in de eetkamer aan de half gedekte tafel, en dat leek hij nogal ongezellig te vinden, want hij hield Metje tot haar eigen verrassing graag aan de praat, als ze hem de schalen bracht. Zodoende vatte ze op de derde dag de moed hem te vragen of ze zo nu en dan een krant mee naar huis mocht nemen, als niemand die verder nog wilde hebben. Hier hadden ze geen geknipte reepjes krant op het toilet, maar een rolletje dun en zacht papier, dat daar speciaal voor werd gemaakt. Zoiets had ze nog nooit eerder gezien!

'De krant? Wil je vader die soms graag lezen?' vroeg de oudere man verrast en blijkbaar blij met wat aanspraak onder het eten, want hij schepte ondertussen gewoon op en stak niet veel later de vork in zijn mond.

Ze bloosde en schudde het hoofd. 'Nee, mijnheer, mijn vader niet, maar ikzelf.'

De oudere man leunde geamuseerd achterover. 'Toe maar! Hier staat dus een jongedame met hersens! Waarom ben je dienstmeid geworden, als je blijkbaar leergierig bent?'

'Arbeiderskinderen leren zelden door, mijnheer, en als dat een enkele keer wel gebeurt, dan gaat het altijd om een jongen, als zijn meester daar erg op aandringt, en zeker niet om een meisje! Mijn vader vindt het maar onzin dat ik graag dingen leer en van alles wil lezen. Als ik wil lezen, is de Bijbel dik genoeg. Meisjes trouwen toch, vindt hij. Trouwens, zo denken de meeste mensen.'

De oudere man schudde zijn hoofd. Hij moest ergens midden vijftig zijn, schatte Metje, maar ze was daar niet zeker van, want mijnheer had een kaal hoofd en een grijzend baardje en dan zagen mensen er soms ouder uit dan ze waren. 'Onzin,' vond hij. 'Als je kunt leren, moet je dat doen.' Ondertussen sneed hij een stukje van de rookworst af, dat hij met smaak in zijn mond stak.

'Het kost ook te veel geld, mijnheer. Dat is er niet, in eenvoudige arbeidersgezinnen.'

'Nu ja, je zult wel gelijk hebben. Wel, kind, als jij zo graag kranten leest, heb je mijn zegen om ze mee te nemen als niemand anders ze meer leest. Behalve als ze nodig zijn om de kachel aan te steken, natuurlijk.' Hij grinnikte. 'En mijn vrouw heeft boeken. Daar mag je weleens wat van lenen, als je haar dat vraagt. Wacht. Ik heb ook iets wat je misschien wel interessant vindt om te lezen.' Hij vergat de rest van zijn boerenkoolstamppot en zocht in de boekenkast naar een dun geschriftje. 'Hier staat het een en ander in over de suikerteelt. Interesse?'

Ze bloosde verrast. 'Zeker, mijnheer, graag zelfs! U krijgt het weer terug zodra ik het uit heb en ik zal er zuinig op zijn.'

'Het is al goed, kind. Wel, je mag ook wel een extraatje hebben. Je vervangt onze huishoudster uitstekend.'

Ze glimlachte meer ontspannen. 'Dank u, mijnheer, maar ik kan lang niet zo deftig koken als zij.'

'Dat leer je nog wel,' meende hij. Een laatste hapje. 'Breng me nu het dessert maar. Wat is het?'

'Griesmeelpudding met bessensap, mijnheer.'

'Lekker.'

Tien minuten later kwam hij de eetkamer uit. 'Vogelaar! We vertrekken zo. Waar blijft hij nu?'

Ze durfde niet te zeggen wat ze dacht, namelijk dat mijnheer nog sneller op de fabriek zou zijn als hij ging lopen, in plaats van zich dat korte stuk te laten rijden, maar ze durfde niet. Met het boekwerkje als een kostbaar kleinood onder de oude krant van de vorige dag opgeborgen, begon ze de tafel af te ruimen. Zodra mijnheer vertrokken was, waste ze af, en ze hoefde geen thee te zetten voor mevrouw. Ze zou straks wel thee bij de juffrouw boven brengen en... ze ging even zitten lezen, besloot ze.

Drie dagen later gaf ze het dunne boekje weer terug.

'En, meisje, heb je er wat van opgestoken?' Een paar priemende ogen keken haar indringend aan.

'Heel veel, mijnheer. Ik heb nooit geweten dat suiker al zo oud was.'

'Mooi zo,' knikte hij en ze beet op haar tong om verder niets te zeggen. Maar die avond aan tafel kwam het gesprek op de kranten, die ze voortaan mee naar huis mocht nemen, en die ze van voor tot achter uitspelde, al werd vader daar soms nog zo boos om.

'Je wordt een heuse blauwkous,' grinnikte Huib, en een dergelijke opmerking was zeker niet bewonderend bedoeld. 'Dat kan best zijn en dat is een scheldnaam voor vrouwen die te veel kennis hebben, dat weet ik best, maar ik vind het lezen prettig. Wisten jullie overigens, dat er vroeger alleen maar rietsuiker was? Het stamde oorspronkelijk uit India, heb ik gelezen, al weet ik niet precies waar dat ligt. Van daar uit verspreidde het suikerriet zich over tropische en subtropische landen. Voor het zoeten van eten werd al vroeg honing gebruikt, maar ook palmen en dadels. Pas rond 600 na Christus we werd rietsuiker ingevoerd in Klein-Azië, en dat is de reden waarom het woord suiker in de Bijbel niet voorkomt. De mensen kenden geen suiker, toen de Bijbel geschreven werd.'

'Er wordt inderdaad gesproken over het land van melk en honing.'

'Dat is dus geen suiker.'

'Je zult wel gelijk hebben, maar wat moet een mens met zulke wijsheid?'

'Dat vind ik interessant. De kruisvaarders hebben suiker meegenomen van daar naar hier.'

'Is niet waar,' grinnikte haar jongste broer Izak van veertien. 'Wat moesten die vechtjassen nu met een zakje suiker?'

'Ik hou mijn mond wel,' bromde zijn zuster, maar Hilly schoof belangstellend naar haar toe. 'En toen? Als suiker van zo ver weg kwam, moet het wel heel erg duur zijn geweest. Net als nu zal de gewone man wel hebben moeten toekijken, hoe de rijke mensen al het lekkers voor zichzelf hielden.'

Metje glimlachte weer. 'Inderdaad. In het boekje stond dat het over lange afstand vervoerd moest worden, over hoge bergpassen bijvoorbeeld, en dat daarom alleen vorsten, rijke kloosterlingen en gefortuneerde edellieden suiker konden betalen. Maar Columbus…'

'Wie?'

'Dat heb je toch op school geleerd, met geschiedenis? Die Spanjaard die wilde bewijzen dat je niet van een platte aarde viel, als je aan de rand van de aarde kwam, maar dat die rond was, en daarom juist naar het westen voer, om onderweg onbedoeld Amerika te ontdekken.'

'O ja, die. Wat had die met suiker?'

'Hij nam suikerriet mee op die eerste reis, plantte dat op Haïti en nog wat eilanden met vreemde namen die ik niet precies heb onthouden, en het suikerriet groeide daar binnen de kortste keren zeer uitbundig. Al na twee jaar kreeg de Spaanse koning van hem te horen dat alles zo goed groeide en binnen een paar jaar waren daar hele suikerrietplantages. Voor het werk op die grote plantages waren veel slaven nodig, wat tot een snel toenemende handel leidde. Ook ons land profiteerde van de snel opbloeiende slavenhandel, die dus mede door de nieuwe suikerplantages opkwam.'

'Maar dat is nog steeds suiker van riet en wij halen suiker uit de biet,' zuchtte haar vader een tikje verveeld. 'Is het nu klaar met die onzin, meiden?'

Metje zweeg gehoorzaam en pakte haar breikous op. In een gezin van zes personen die allemaal klompen droegen, sleten sokken voortdurend. Natuurlijk werden sokken gestopt zolang het kon, maar nieuwe sokken moesten er altijd worden gebreid.

Haar vader keek Metje met een frons aan. Wat er vroeger al of niet gebeurd was met suiker interesseerde hem geen barst. Er was wel wat anders, waar hij zich zorgen om maakte. Opnieuw was Metje het voorwerp van zijn onderzoekende blik. 'Wat moet jij eigenlijk met Jan Huijbers?' vroeg hij toen met een barse ondertoon in zijn stem.

'Wie is dat?' vroeg ze oprecht verbaasd.

'De portier van de suikerfabriek. Nu?'

'Vader! Die man, inderdaad, nu herinner ik me weer dat hij Huijbers heette, bracht me naar mijnheer, toen ik die twee weken geleden op moest halen. En daarna heb ik hem nooit meer gezien.'

'Nu, ik wel. Hij heeft me al tweemaal aangesproken om te vragen hoe het met je ging, en of hij eens langs mocht komen. Stel je voor, een paap die in de roomse huizen woont!' Vader was ontstemd, dat leed geen twijfel.

Metje keek hem met grote, onschuldige ogen aan. 'Tja, dat hij naar me vraagt, daar kan ik niets aan doen. Maar waarom zou hij in vredesnaam langs willen komen?'

Hilly grinnikte brutaal. 'Omdat hij op je mooie ogen is gevallen, misschien?'

'Schei uit,' zuchtte moeder. 'Het zou goed zijn als Metje een vrijer kreeg en trouwde, ze heeft er uiteindelijk de leeftijd voor. Op haar leeftijd was ik al zwanger van Cees. Maar geen paap!'

'Moe! Ik spreek de waarheid, dat ik hem nooit meer heb gezien en zelfs niet eens meer aan hem heb gedacht.'

'Laat dat dan vooral zo blijven, en zoek een jongen van onze eigen kerk,' bromde haar vader en hij stond al geeuwend op. 'Je bent gewaarschuwd.'

Toen Metje even later door het donker naar buiten liep om voor het slapengaan nog naar de plee te gaan, die ze net als de waterpomp deelden met enkele andere gezinnen, zag ze echter een gestalte staan die haar vaag bekend voorkwam. Ze trok huiverend haar omslagdoek om zich heen. Toen hij naar haar toe stapte, wilde ze wegrennen, maar toch droegen haar voeten haar niet terug naar de veilige beslotenheid van hun eigen huis.

'Ik hoopte al je een keer te treffen,' begon Jan Huijbers en ze zag hem onhandig schutteren met zijn handen, zodat ze besefte dat hij zenuwachtig was, nog voor ze van de schok bekomen was.

'Mijn vader vertelde dat je naar me had gevraagd en dat alleen al was meer dan genoeg om hem flink kwaad te maken. Je moet maar liever niet hier rondhangen.' Haar stem klonk afwerend. 'Er ontgaat de mensen in het dorp niet veel, dat begrijp je toch wel?'

Hij schokschouderde, alsof hem dat niet uitmaakte. 'Je bent een leuk meisje, Metje. Ik wil je graag nog eens zien of spreken. Kunnen we op zaterdagavond niet eens een stukje gaan wandelen? Of mag ik met je meelopen, als je klaar bent met je dienstje en naar huis gaat?'

'Dat kan echt niet. Mijn vader zou ervan horen en dan zijn de rapen gaar! Ik ben protestant en jij komt uit Brabant en bent dus katholiek. Dat maakt elke vorm van met elkaar omgaan moeilijk, Huijbers.'

'Jan. Ik heet Jan. Waarom? In de fabriek werkt je vader toch ook gewoon samen met de katholieke Brabanders?'

'Dat is wat anders. Dat is werk.'

'O, en stel dat ik jou leuk ga vinden, en jij mij...'

'Het is bij ons zo, en dat zal bij jullie niet anders zijn, dat zoiets uitgesloten is. Ik moet gaan. Doe dit niet nog een keer,' beet ze hem tamelijk onvriendelijk toe en toen rende ze naar binnen zonder te hebben gedaan wat ze had moeten doen.

'Je hijgt,' stelde Hilly vast toen ze samen in de donkere bedstee lagen. Vader had de laaggedraaide petroleumlamp al uitgeblazen, waardoor de vlam was gedoofd en het donker was geworden in huis. In de bedstee van haar ouders bleef het vanavond stil. Als Hilly snel in slaap viel, durfde ze nog wel even naar buiten te gaan om alsnog naar de plee te gaan, want Jan Huijbers zou wel begrepen hebben dat ze absoluut niet van zijn aandacht gediend was. Gelukkig maar dat Hilly niet verder vroeg.

'Ik kan niet slapen,' bromde Hilly na een poosje. 'Vertel nog eens verder over de suiker, Metje. Misschien moet ik dat boekje ook maar eens lezen.'

'Het staat alweer bij mijnheer in de boekenkast.'

Metje dacht dat het neutrale onderwerp haar zenuwen wel zou kalmeren en vermande zich. 'Jarenlang was suikerriet dus een product voor de rijken en pas rond 1750 werd ontdekt, dat er ook suiker gemaakt kon worden van bieten. Die werden op kleine schaal verbouwd, gekruist en gekweekt, om uiteindelijk een pee, zoals we hier op de eilanden zeggen...'

'Niemand van hier praat over de suikerfabriek, maar wel over de peefabriek.'

'Juist. Uiteindelijk verkreeg men door teelt en proberen suiker. Die werd aan de koning aangeboden. Dat was in de jaren toen Napoleon allerlei oorlogen veroorzaakte, waardoor de handel overal stagneerde en de invoer van rietsuiker een probleem werd. Daarom gaf Napoleon... die naam herinner je je toch nog wel van de geschiedenislessen?'

'Jawel, de grote Franse keizer, nadat die lui daar eerst de koning en de koningin letterlijk een kopje kleiner hadden gemaakt.'

'Precies, die. De man leed beslist aan grootheidswaan, en hij maakte zijn broer koning van Nederland. Omdat er geen suiker meer te krijgen was door al dat wapengekletter, gaf hij hoogstpersoonlijk opdracht om grote velden suikerbieten aan te planten. Bedenk dat dat nog maar honderd jaar geleden is, hoor. Er verschenen wel een paar kleine suikerfabriekjes, maar de keizer werd al snel weer ten val gebracht. De handel bloeide weer op en de prille suikerfabriekjes verkommerden daardoor weer. Dat veranderde opnieuw toen jaren later de slavernij werd afgeschaft, en ineens werd de bietsuiker opnieuw interessant. Niet veel later werden ook in ons land suikerfabriekjes opgericht. Nog geen vijftig jaar geleden kwam er een in Zevenbergen, in Brabant. De boeren wilden ineens graag suikerbieten gaan verbouwen. Hier op de eilanden in dit deel van Nederland was meekrap vroeger altijd een belangrijke teelt, maar door het uitvinden van kunstmatige verfstoffen, lag die teelt binnen in paar jaar op zijn achterste. Boeren moesten toen iets anders zoeken om veel geld mee te verdienen.'

Hilly grinnikte en genoot ervan. 'Toch fijn, om veel te weten,' ontdekte ze. 'Maar jij leest zo gemakkelijk, en ik helemaal niet. En wat kun jij dat allemaal goed onthouden.'

'Kost me geen moeite,' wist Metje. 'Wel, landbouwgrond genoeg in deze contreien. Boeren zochten nieuwe gewassen waar ze weer geld aan konden verdienen en begonnen steeds meer bieten te verbouwen. Water genoeg bovendien, in dit deel van het land. Al dat land dat aan rivieren of brede delta-armen ligt! Er moet natuurlijk wel zoet water zijn, aan zout zeewater heeft een suikerfabriek helemaal niets. Toen er overal fabriekjes werden opgericht, deed zich het geval voor dat die onderling hun best moesten doen om voldoende bieten te bemachtigen, en hoe minder het vervoer kostte, des te goedkoper kon er suiker worden gemaakt. Kleine fabriekjes fuseerden om meer bieten te vergaren, en ons eiland ligt gunstig omringd door zoet water. Er is landbouwgrond genoeg, zodoende is de suikerfabriek hier terechtgekomen en op dit moment is hij zelfs een van de grootste van het land.'*

Hilly geeuwde en Metje moest inmiddels hoognodig plassen. 'Vader heeft geluk dat hij er werk heeft gevonden.'

'Van september tot december,' peinsde Hilly al een beetje slaperig. 'Maar 's zomers kan hij net als vroeger als los arbeider bij een boer werken.'

'Vroeger hadden we in de winter vaak honger. Nu vader een vast loon in de fabriek verdient, kunnen we het wel uitzingen tot het weer lente wordt en hij weer aan de slag kan bij een boer. Moeder spaart elke week een paar centen op en van ons loon ook twee gulden.'

'We zullen deze winter waarschijnlijk geen honger meer hebben, je hebt gelijk. Ik ga slapen, Metje.'

'Ik moet alweer plassen,' jokte ze. 'Ik ga nog even naar het huisje, anders zit de po al vol voor de nacht goed en wel is begonnen.'

'Kijk maar uit voor enge vreemde kerels op straat. Het is beslist al een uur of tien.'

Metje sloop op haar tenen naar buiten, keek toch en beetje schichtig om zich heen, maar overal was het donker en er was niemand te zien, behalve straks misschien de nachtwaker als die zijn ronde maakte door het dorp. Letterlijk opgelucht kroop ze nog geen tien minuten later weer op het stro in de bedstee. Hilly sliep al. Toen Metje in slaap viel, droomde ze tegen wil en dank van de jonge portier van de suikerfabriek, die blijkbaar een oogje op haar had. Of lag het eenvoudiger en was hij gewoon eenzaam, ver van zijn familie vandaan, in een streek waar hij niemand anders kende dan een paar arbeiders die net als hij met de fabriek waren meegekomen?

* Toen deze fabriek in 1973 moest sluiten, was het inmiddels de kleinste suikerfabriek van het land geworden.

4

Juffrouw Vogelaar zat stil en bleek in de keuken. De koorts was zo goed als verdwenen, maar ze was nog snipverkouden en zag bijna net zo bleek als mevrouw gewoonlijk deed, maar daarmee was dan ook alles gezegd, besefte Metje. Schouderophalend liet de huishoudster zich door Metje een kop thee inschenken, want in koffie had ze nog geen trek. Een beschuitje erbij. Ze had er een hap van genomen en keek Metje welwillend aan. 'Ik lijk mevrouw wel, met thee en beschuit.'

Het meisje glimlachte. 'U bent nog niet helemaal beter, en nu mevrouw er niet is, luistert alles niet zo nauw en kan ik u een beetje verwennen.'

'Nu ligt mijn man op bed en mijnheer moest naar de fabriek gaan lopen.'

'Hopelijk bevalt het hem zo goed, dat hij dat blijft doen,' dacht Metje glimlachend. 'Dat zou goed voor hem zijn. Hij is veel te dik en komt maar weinig buiten.'

Zowaar, juffrouw Vogelaar schoot in de lach. 'Maar niemand durft hem dat te zeggen.'

'Het is het goede leven, denk ik maar. Als je altijd zo lekker eet als ze hier doen, wordt een mens wel zwaarder, maar dikke arbeiders zie je maar zelden.'

'Niet jaloers zijn, hoor. Je praat nu bijna als een van die rooien, die vinden dat alles eerlijker verdeeld moet worden in de maatschappij.'

'Voor dat laatste is zeker iets te zeggen, maar om God los te laten, daar kan ik mij niets bij voorstellen, en daarom wil niemand hier omgaan met iemand van die partij.'

'Er wordt zelfs zo nu en dan gezegd dat gewone mannen stemrecht moeten krijgen, ook als zij niet tot de notabelen behoren. Stel je voor, waar zouden mannen als mijn man en jouw vader op moeten gaan stemmen? Op de partij die onze baas opdraagt? Maar goed, het blijft alleen maar bij gepraat.'

'Ik lees nu geregeld de krant en daar steek ik toch veel van op,' glimlachte Metje. Ondertussen liet ze haar handen flink wapperen. De keuken werd opgeruimd en het granieten aanrecht schoongemaakt. 'U moet tussen de middag weer lekker een prakje eten. Wat zou ik voor u kunnen koken dat u lekker vindt?'

De huishoudster moest nu echt lachen. 'Wat ikzelf graag lust?'

'Natuurlijk, dan eet u beter. Dus zeg het maar.'

'Wat is er nog in huis?'

'Als dat er niet is, ga ik het halen. Ik vind het wel prettig om een boodschapje te doen in het dorp.'

'Mijnheer lust immers graag stamppot. Wat zou je zeggen van zuurkool met spek?'

'Is dat niet te zwaar voor u? Wortelen met een stukje vis is misschien lichter verteerbaar.'

'Dat is voor de vrijdag. Doe toch maar die zuurkool. Je moet spek gaan halen en mijnheer wil er dan ook nog rookworst bij. Een tevreden baas is ook veel waard. En morgen zou ik wel stoofpeertjes lusten, maar die moeten urenlang op het petroleumstel rood stoven en dat kan nu dus niet meer.'

'Als mevrouw terug is, trekt ze haar neus weer op voor stamppot, en ze zal nu toch niet erg lang meer wegblijven. Voor je kinderen klaarstaan is een ding, maar je man zo lang alleen laten, dat is niet goed voor een huwelijk. Dan wordt het dus zuurkool met spek en worst,' glimlachte Metje.

Toen de juffrouw haar thee en beschuit op had en verder niets wilde hebben, drong Metje erop aan dat ze toch een enkel boterhammetje zou nemen. 'U moet aansterken,' probeerde ze. 'Zal ik lekker een zachtgekookt eitje voor u maken?'

'Je bent een lief kind,' bromde de ander. 'Stel je voor, mijn leven lang heb ik voor iedereen gezorgd, voor alle mensen klaargestaan, en nu zit ik op mijn stoel als een oud wijf, en ik voel me warempel ook zo, en zorg jij voor mij.'

'Ik doe het graag.'

'Ik ben blij dat je gekomen bent.'

'Zoals ik al zei, mevrouw is er niet en mijnheer is naar de fabriek. Als u straks kijkt of uw man iets wil hebben, ga ik stoffen en zwabberen en zorgen dat alles in huis er piekfijn uitziet. Het duurt nu vast niet lang meer, eer mevrouw terugkomt.'

'Ik zal vol lof over je spreken.'

Metje keek de oudere vrouw rustig aan terwijl ze behendig een eitje voor haar kookte en een dun wit boterhammetje besmeerde met echte boter. 'Het is prettig dat u en ik goed met elkaar overweg kunnen, juffrouw Vogelaar. Ik kan van u nog veel leren, vooral lekker leren koken voor de deftigheid. Dat wil ik graag. Als ik dan niet trouw, kan ik te allen tijde ergens mijn brood gaan verdienen en hoef ik niet uit naaien, want dat doe ik niet graag.'

De ander schoot in de lach. 'Niet?'

'Breien? Ja! Borduren? Ook wel, ik heb monogrammen op mijn uitzet geborduurd, en ik zou wel willen dat ik net zo'n deftig kussen met rozen kon borduren als mevrouw dat doet, maar die zijde is te duur. Maar naaien dus niet, al doe ik het natuurlijk wel omdat het moet. Kom, ik ga aan de slag.'

De juffrouw keek haar glimlachend na.

Toen Metje die avond pas om halfacht de achterdeur van de deftige directeurswoning achter zich dichttrok, de steeg door liep en even later voor het huis langs kwam om naar huis te gaan, stapte er tot haar schrik een gestalte uit de schaduw.

'Dag Metje.'

'Jan Huijbers? Alweer? Waarom ben je nu weer hier?' vroeg ze behoorlijk geschrokken. Meteen keek ze schichtig om zich heen en vroeg ze zich af wie hen allemaal zou kunnen zien. Tegelijkertijd moest ze vaststellen dat ze stilletjes toch wel gevleid was door zijn aandacht. Het was verwarrend. Er waren in de afgelopen jaren wel meer jongemannen geweest die min of meer aandacht aan haar geschonken hadden, maar nooit had er een serieus toenadering gezocht, en ze had zich heus weleens tijdens een slapeloos moment in de bedstee afgevraagd hoe dat kwam. Ze vond zichzelf geen knap meisje, zeker niet, maar ze was ook niet lelijk, had geen gebrek of ziekte, waardoor een eventuele vrijer zou kunnen worden afgeschrikt en...

Haar gedachtegang werd onderbroken. 'Toen je mijnheer kwam waarschuwen in de fabriek, dacht ik meteen: wat een leuk meisje. Ik wil graag zo nu en dan wat met je praten. Ik ken maar weinig mensen hier, Metje. Ik ben samen met mijn zus Marie in de kost bij een oudere weduwe van onze parochie. Ik ken verder geen leuke jonge meisjes!'

'Hoe weet je eigenlijk hoe ik heet en waar ik woon?'

'Dat niet zo moeilijk in een dorp als dit. Ik heb je vader een paar keer aan de praat gehouden bij de poort en bij andere arbeiders navraag gedaan. Ik weet dat je voor mijnheer De Beijer werkt. Ik weet dus ook dat ik je hier kan treffen, al moet ik zeggen dat je lange dagen maakt. Ik heb wel een uur op je staan wachten.'

Het was vleiend dat hij zo veel moeite had gedaan, dacht ze. 'Ik begin om halfzeven en ga meestal pas 's avonds rond zeven uur, halfacht naar huis. Dat scheelt weer met eten thuis,' vertelde ze bijna tegen wil en dank, en ondanks alle gevaren voelde ze zich best gevleid door zijn onverbloemd bewonderende blikken. Ze nam hem ook eens wat nauwkeuriger op. Een lange, magere jongeman. Donker haar en bruine ogen, dat hadden wel meer Brabanders, had ze al begrepen. Voor ze er erg in had, liep ze naast Jan Huijbers een straat in, op weg naar huis.

Hij keek haar rustig aan. 'Ik besef best dat we hier gezien worden en ik ben niet op mijn achterhoofd gevallen. Ik weet dat hiervan gemakkelijk problemen kunnen komen. Mag ik nog eens op je wachten, maar dan in de steeg, achterom bij de familie De Beijer? Daar ziet niemand ons praten.'

'Ik weet het niet,' aarzelde ze, want dat was stiekem gedoe dat zeer zeker de tongen in beweging zou brengen, als het werd ontdekt. Moe beweerde altijd dat in dit dorp nooit wat geheimgehouden kon worden. Als ze nu voorzichtig toegaf, waar zou ze dan allemaal mee geconfronteerd kunnen worden? Maar met Jan was blijkbaar niets mis. Een aardige jongeman, een harde werker zo te zien. Alleen het feit dat hij van een ander geloof was dan zij, was echter een kloof die absoluut niet te overbruggen zou zijn. Maar... Ze aarzelde slechts kort voor ze hem aankeek. 'Ach, waarom ook niet, maar niettemin voel ik me op dit moment niet erg op mijn gemak.'

'Dat begrijp ik, daarom wil ik je ongezien zo nu en dan even kunnen spreken.'

'Ik zal erover nadenken,' beloofde ze, en vanzelfsprekend vatte hij dat op als een aanmoediging. Hij begon geanimeerd te vertellen over zijn leven. 'Ik werk al drie jaar bij de suikerfabriek. Mijn vader is landarbeider en dus ben ik alleen hierheen gekomen met een van mijn zussen, die nog maar onlangs een blauwtje heeft gelopen en voor wie het goed was om van omgeving te veranderen. Marie helpt bij het lossen van de bieten, tot ze iets beters kan krijgen. Wij zijn in de kost bij een oudere weduwvrouw van onze kerk. Het is niet zo dat er geen katholieken waren in Oud Beijerland, voor wij Brabanders deze kant op kwamen.'

'Dat klopt, er is al jaren een katholieke kerk.'

'Er zijn veel kerken hier, gereformeerd, hervormd.'

'Zelfs een synagoge.'

'Ook dat nog! Ik heb nooit zo goed begrepen waar al die verdeeldheid goed voor is.'

'Mensen denken verschillend over het christendom en dan vinden er afscheidingen plaats. En wij jongelui gaan naar de kerken waar onze ouders naartoe gaan. Daar kan nauwelijks van afgeweken worden.'

'Ik...'

Plotseling werd Metje bij de arm gegrepen en ze schrok opnieuw.

Meeuwis Tol keek haar nijdig aan. 'Kom mee, Metje. Je vader zou het niet prettig vinden als je met deze jongeman op straat werd gezien. Ik breng je wel even thuis. De groeten,' knikte hij bars naar de verbouwereerde Huijbers. Hij bleef staan, geschrokken en zijn gezicht nogal ontdaan door de onverwachte verstoring van hun gesprek, en Metje was totaal overrompeld, maar ze werd al door de jonge postbode meegetrokken. 'Dit moest je liever niet doen.' Zijn blauwe ogen van dertien in een dozijn keken haar afkeurend aan. 'Waar bemoei jij je eigenlijk mee?' barstte ze los toen ze haar spraak teruggevonden had en ze een vlammende boosheid in zich op voelde komen.

'Je bent van onze kerk en je gaat daarom niet om met een katholieke jongeman. Zo eenvoudig is dat. Wees blij dat ik je van zijn aandacht heb bevrijd, voor je vader er lucht van krijgt dat jij daar zo gezellig liep te keuvelen.' Hij hield haar nog steeds dwingend vast bij haar elleboog. Intussen had ze het gevoel min of meer de straat in geduwd te worden waar ze woonde. 'Ik moest een laat telegram afleveren, toen ik je met hem zag lopen. Het schijnt dat mevrouw De Beijer eindelijk weer naar huis komt, en dat wordt tijd. Het is niet goed als een vrouw haar man zo lang alleen achterlaat.'

'Mijnheer is goed verzorgd door juffrouw Vogelaar en mij en... Waar bemoei jij je eigenlijk mee!'

'Dat moet jij nodig zeggen! Wel, ik zal niet met je meegaan tot bij de deur, anders gaan de mensen nog denken dat ik interesse in jou heb, en voor die eer bedank ik feestelijk.'

'Nou ja!' Ze kon nog net voorkomen dat ze midden op straat zou stampvoeten van boosheid.

'Wat zie je er opgewonden uit?' vroeg haar moeder toen ze even later in de kamer stond, waar de lamp al brandde. 'Problemen?'

'Een beetje ruzie met Meeuwis Tol. Wat een eigenwijze bemoeial is dat,' bitste ze, nog steeds kwaad en tegelijkertijd een beetje van streek. Tien minuten geleden nog maar had ze in opperbeste stemming de keukendeur van de mooie directeurswoning achter zich dichtgetrokken en nu had ze het vervelende gevoel, goed in de nesten te zitten. En dat allemaal door Meeuwis!

'Ruzie? En Meeuwis is zo'n aardige vent? Elke zondag zit hij twee keer in de kerk,' meende haar moeder terwijl ze plakken ontbijtkoek sneed en daar margarine op smeerde voor zometeen bij de koffie.

Metje ging aan de keukentafel zitten en deed haar best haar

opgevlamde boosheid te beheersen. Ze wist niet eens dat ze zo gemakkelijk kwaad kon worden, drong het tot haar door. Omdat Hilly begon te grinniken en haar moeder haar onderzoekend opnam, stond ze op om naar de doos te gaan en daarmee even een moment van afzondering te hebben, waarvan ze op dat moment het gevoel had dat ze dat broodnodig had.

'Is Meeuwis soms verliefd op je?' riep Hilly haar na. 'Hij zit in de kerk altijd naar je te kijken.'

'Waarschijnlijk kijkt hij naar alle meisjes,' bromde Huib lachend, terwijl hij aan zijn pijp lurkte. 'Dat doe ik ook. Op een dag moet een kerel er toch een uitkiezen om de rest van zijn leven mee door te gaan brengen en Meeuwis is al vierentwintig, dus hij mag wel een beetje op gaan schieten. Leuke meisjes als Metje zijn getrouwd voor hij het weet.'

De deur viel achter haar dicht en ze moest even stilstaan om eens diep adem te halen, zodat ze wat rustiger kon worden.

Toen ze even later terugkwam, was ze veel kalmer geworden en had ze besloten net te doen alsof ze gek was, en er helemaal niets bijzonders was voorgevallen in het afgelopen halfuur.

Mevrouw kwam inderdaad terug, al was het met duidelijke tegenzin dat ze niet wat langer bij haar dochter had kunnen blijven, en daarmee veranderde alles weer in huis. Juffrouw Vogelaar was gelukkig weer wat opgeknapt en als vanouds op de been. Ze gaf Metje aldoor opdrachten dat ze dit moest doen of dat. Mevrouw zag bleek, maar dat zag ze altijd. Omdat Vogelaar nog niet de oude was, liep mijnheer nog steeds naar de fabriek, en inmiddels had zijn gezicht een veel gezondere kleur gekregen omdat hij niet langer aldoor binnen op een stoel zat. Thuis had gelukkig niemand meer over Meeuwis Tol gesproken.

Een paar dagen later was het zaterdag en mocht Metje na het middageten en de afwas daarvan naar huis.

Zoals altijd kreeg ze die morgen van mijnheer voor hij

wegging haar loon. Beleefd als altijd bedankte ze hem voor de twee gulden vijftig die ze weer had verdiend in haar werkweek van meer dan zestig uren. 'Heb je het naar je zin bij ons, Metje?' vroeg mijnheer, die in een uitstekend humeur verkeerde sinds zijn vrouw teruggekomen was en het volgens zeggen met zijn schoondochter weer goed ging. Wel had hij verdriet van het gebeurde, beweerde juffrouw Vogelaar, die hem goed kende.

'Ja mijnheer, dat zeker,' glimlachte ze een tikje onzeker, zoals ze zich altijd voelde in het gezelschap van deze deftige man.

'Nog wat opgestoken van de kranten die je leest en van dat boekje?' Mijnheer scheen vanmorgen geen haast te hebben om weg te komen.

Ze knikte nu meer dan uit beleefdheid. 'Ik vond het zo interessant om te lezen hoe de geschiedenis van de suiker was, mijnheer De Beijer.'

'De bieten zijn dit jaar klein en vuil, meisje, en dat komt door de natte zomer die we hebben gehad. We hebben bovendien de pech gehad dat het ging vriezen kort nadat de fabriek ging draaien, maar inmiddels verwerken we wel vijfenhalf miljoen kilo bieten per week.' Mijnheer keek er trots bij, dus dat moest een hele prestatie zijn.

'Dat klinkt als heel veel, mijnheer.'

Hij grinnikte goedgemutst. 'Dat is het ook. Maar vanzelfsprekend nemen we vierentwintig uur zondagrust in achting, anders zou het hele dorp verontwaardigd in opstand komen.'

Metje kreeg een kleur, maar vatte wel moed. 'Weet u eigenlijk wel dat de vrouwen in het dorp op de fabriek mopperen? Als de wind deze kant op staat, stinkt het vreselijk, maar nog erger is de modder. Als vrouwen hun ramen hebben gezeemd en de tram rijdt langs met de lekkende pulp en vooral de opspattende modder die in de rails is gelopen, kunnen ze meteen weer opnieuw beginnen. De hele gevel zit dan weer onder de viezigheid. Het vocht van de pulp, de klei van de bieten, het hele dorp is in een paar weken tijd veranderd in een grote moddertroep. Daar zijn de huisvrouwen dus niet blij mee.' Ze glimlachte er vriendelijk bij, want wat floepte ze er nu weer uit?

Hij lachte echter daverend, want al dan niet brandschoon gezeemde ramen waren zeker zijn zorg niet! 'Ach ja, de modder blijft inderdaad bij nat weer in de rails staan, dus als de tram dan langsrijdt, spat dat vanzelfsprekend flink op. Ik heb het ook weleens op mijn kleren gekregen, als ik me niet snel genoeg uit de voeten maakte als de tram eraan kwam. Maar ik blijf voortaan lopen naar de fabriek! De mensen zijn hier uiterst beleefd en ik hoef echt geen indruk te maken door me met het rijtuig weg te laten brengen en op te laten halen. Ik merk juist dat ik het prettig ben gaan vinden om op straat zo nu en dan met de gewone man in gesprek te raken, zoals nu met jou. Je mag overigens rustig nog eens een boek lenen. Zeg maar tegen mijn vrouw dat je mijn toestemming hebt. Als je de boeken maar weer onbeschadigd mee terug brengt.'

'Maar natuurlijk, mijnheer, ik zal er erg zuinig op zijn, dat beloof ik u. Dank u, mijnheer.' Haar wangen brandden ervan.

'Ik moet gaan. Laat mijn vrouw ook eens zo lachen, beste meid. Dat zal haar goeddoen.'

Ach, mevrouw was lang zo vrolijk niet als mijnheer! Een echte Brabander was hij, zeiden de mensen in het dorp. Hij hield duidelijk van het goede leven. Hij at graag en lekker, elke dag weer. Hij zat regelmatig in café Tivoli, om de hoek bij de suikerfabriek, en de eigenaar Peeters beschouwde hem al bijna als een goede vriend, daar schepte de kroegbaas tenminste weleens over op. In zijn café kregen de arbeiders ook hun loon uitbetaald, en er waren arbeiders die er meteen een flink deel van omzetten in drank, zodat ze slechts een schamel restant daarvan mee naar huis namen, waar moeder de vrouw dan maar weer van moest rond zien te komen zodat het gezin honger moest lijden. Maar Peeters zorgde er wel voor dat een man er niet alles doorheen joeg, want dan weigerde hij nog eens in te schenken, en dat leverde weleens boze woorden of een opgestoken vuist op!

Mevrouw zat zoals zo vaak te borduren, toen Metje haar op verzoek van juffrouw Vogelaar een kopje koffie bracht met vanzelfsprekend een schaaltje met een paar vers gekochte koekjes er op. Mevrouw liet het handwerk zakken. 'Hoorde ik mijn man zo lachen toen hij je je loon gaf, Metje?'

'Ik vertelde hem dat de vrouwen in het dorp op de bieten mopperen, mevrouw, omdat het zo'n moddertroep geeft. Toen het vroor, werd het zelfs gevaarlijk buiten, want toen werd het heel erg glad.'

'Ja, die modder heb ik ook opgemerkt. Het weerhoudt me er soms van om naar de boekwinkel of zo te gaan. Gelukkig zorgt juffrouw Vogelaar voor de boodschappen.'

Metje knikte. 'Mevrouw... mijnheer zei ook dat ik zo nu en dan een boek mag lenen. Ik lees graag, moet u weten. Vindt u dat ook goed?'

Ze werd van top tot teen onderzoekend opgenomen. Metje werd er zenuwachtig van. 'Mijnheer heeft me al eerder een boekje geleend, waarin de geschiedenis van suiker beschreven werd, en hij moest een beetje lachen omdat ik dat zo interessant vond.'

'Meisjes als jij hebben meestal meer aandacht voor jongemannen, romantiek en kinderen,' kreeg ze als antwoord. 'Maar ik heb er geen bezwaar tegen, hoor. Er zijn ook wat romans die heel geschikt zijn, maar misschien heeft je vader bezwaar tegen dergelijke lichtzinnigheid?'

'Hij ziet me inderdaad liever poetsen of breien. Maar op zondag mag ik wel van hem lezen, al zou hij liever zien dat ik me daarbij beperk tot de Bijbel.'

'Het hervormde geloof is strenger dan ons katholicisme, denk ik. Of ben je gereformeerd? In onze ogen is dat bijna hetzelfde, maar ik heb al ontdekt dat ze daar in dit dorp heel anders over denken.'

'Zo is dat, mevrouw. Mijn vader slaat weleens met de vuist op tafel om zijn eigen gelijk te onderstrepen, als een van mijn broers het waagt om ergens over te twijfelen of zelfs iemand van een andere kerk het voordeel van de twijfel te geven.'

47

Mevrouw glimlachte eindelijk vaagjes. 'Ik heb van mijn eigen vader geleerd, dat we uiteindelijk allemaal in dezelfde God geloven.'

'Dat is waar, mevrouw, en dat is een mooie gedachte, die ik zeker niet vergeten zal.'

Mevrouw pakte een koekje. Ze snoepte heel graag en toch bleef ze mager, heel anders dan mijnheer. Metje knikte en haastte zich naar de keuken terug.

'Dat duurde nogal even,' mopperde juffrouw Vogelaar goedmoedig. Sinds ze ziek was geweest en Metje zo goed voor haar en alle andere dingen had gezorgd, werd ze nooit meer echt boos op de meid. 'Wat had mevrouw allemaal te zeggen, dat ze je zo lang ophield?'

'Zal ik de aardappelen vast schillen?' bood Metje meteen aan, want dat liet de juffrouw maar wat graag door de meid doen. 'We praatten over de modder in het dorp, nu de fabriek zo veel bieten verwerkt, en ze vroeg naar welke kerk ik ging.'

'Tjonge, meer niet?'

'Ze is best aardig,' vond Metje zonder gêne. 'En mijnheer kan heel vrolijk zijn.'

'Vertel mij wat,' bromde de juffrouw goedmoedig. 'Mijnheer is een goede man. Ik heb ondertussen gehoord dat dochter Adèle met haar man en kind komt logeren met de feestdagen, en dan moet je een beetje oppassen. Als mijnheer Koen Brouwer erg joviaal wordt, wil hij een leuke jonge vrouw nog weleens een speels tikje op het achterwerk geven, en zover moet je het maar liever niet laten komen.'

Na het eten en de afwas – Vogelaar had voor het eerst weer met smaak gegeten – haastte Metje zich naar huis. De zaterdagmiddag was altijd het prettigste deel van de week, vond Metje. Thuis was alles aan kant en anders dan op de zondag, waarop zoveel niet mocht, was het op zaterdagmiddag prettig. Soms wandelde ze met haar moeder en Hilly even het dorp in.

Het was een mooi dorp, vond Metje. De kerk had een leien dak en een spitse toren, die boven alle huizen uitstak, over de huizen van de armen evengoed als boven die van de rijken, zei haar broer Cees soms. In die toren hing de grote kerkklok die de naam Sabina had gekregen. Sabina van Beieren was de dochter van graaf Lamoraal van Egmond, een medestrijder van de prins van Oranje, en die was door de Spanjaarden onthoofd. Zijn vrouw was een prinses van Beieren geweest, waar het dorp naar was vernoemd omdat de grond van de graaf was. Sabina had de klok betaald en was ook in de kerk begraven.

Op de dijk waar de tram over reed waren verschillende winkels, zoals een boekwinkel en een manufacturenwinkel. Ook was er een sigarenwinkel, met daarachter het fabriekje waar Izak werkte voor een karig dagloon.

Metje vond het prettig om op zaterdagmiddag wat te winkelen. Ach wat, kijken bedoelde ze, want arme mensen hadden niet veel geld om iets te kopen.

Een belangrijke straat was ook de Kerkstraat. Fop verkocht er petroleum en een oude man verkocht er turf en bosjes aanmaakhout. De barbier, waar ook vader zich op zaterdagavond liet scheren, had zijn scheerwinkel daar. Oude mannen zonder tanden werden door de barbier over de noot geschoren. Hun ingevallen wangen waren niet zo gemakkelijk glad te scheren, en daarom lag er in zijn winkel een walnoot, die oude mannen in hun wang moesten stoppen, zodat de barbier naar behoren zijn werk kon doen. Eerst de ene wang, dan de andere als de noot was verplaatst. Een noot, ja, die iedereen gebruikte.

Andere keren bakte ze samen met haar moeder pannenkoeken om te eten in plaats van het avondbrood. Vader was er gek op en zelf vond ze pannenkoeken ook heel lekker. Maar wie lustte die nu niet? Met dat alles in gedachten schrok ze, toen er ineens een bekende gestalte voor haar stond, in de kleding van een postbode, iemand die ze al helemaal niet graag zag na wat er eerder deze week was gebeurd.

Hij keek haar onderzoekend aan. Meeuwis was feitelijk bijna net zo lang als Jan Huijbers, flitste het door haar gedachten. Alleen was hij een akelige bemoeial! 'Nee maar,

Metje Huisman, nu tref ik je alweer! En ditmaal zonder jongeman in je kielzog.'

Het klonk plagend, maar ze kon er allerminst om lachen. 'Alsof ik dagelijks met jonge kerels door het dorp wandel,' bitste ze. 'Je had je een paar dagen geleden niet met mij moeten bemoeien, Meeuwis.'

'Zeer zeker wel. Als je vader in de gaten kreeg met wie jij zo gezellig liep te keuvelen, waren de rapen gaar geweest, geloof me maar.'

Hij had gelijk en ze wist het, maar dat zou ze vanzelfsprekend voor geen goud toegeven. 'Toch had je je er niet mee moeten bemoeien.'

'Het voordeel van postbode zijn is dat je bijna iedereen in het dorp kent, Metje, en dat je meer te horen krijgt dan je soms lief is.'

'Je lijkt wel een oud wijf. Die roddelen ook altijd.'

'Ja, dat ze helemaal op en versleten zijn van het harde werken, maar met hun tong is dan wonderwel nooit iets aan de hand, terwijl daarvan toch zeer gretig gebruik is gemaakt,' grinnikte hij onverwacht. Meeuwis haalde daarna luchtig zijn schouders op en scheen de bitse toon in haar stem niet op te merken, of hij wilde het eenvoudig niet horen. 'Ik zie je wel weer. Morgen in de kerk,' glimlachte hij, en de schittering in zijn ogen deed haar ineens denken aan de opmerking van Hilly.

Nee hè! Niet Meeuwis!

5

'De bieten worden in de scheepsruimen in manden gedaan en daar werken dus ook enkele vrouwen, omdat dit het lichtste werk is. De punten van de bieten moeten zorgvuldig naar binnen worden gezet, daardoor ontstaat dan een bolvormige kop op de mand en zo wordt voorkomen dat bieten, tijdens het dragen van de manden naar de wal, uit de mand kunnen rollen. Mannen zijn soms te ongeduldig om ze zorgvuldig zo te stapelen. Dat vrouwen dit werk ook wel doen betekent extra inkomsten voor een aantal gezinnen.'

Vader Huisman zat op zijn praatstoel en verwachtte als vanzelfsprekend dat de anderen zouden luisteren.

'Weduwen moeten soms de kost verdienen om de kinderen te eten te kunnen geven,' knikte moe Huisman ijverig, zichzelf in stilte prijzend dat haar man tenminste niet te veel dronk. Want wat moesten de vrouwen van wie de man dat wel deed? Ze konden immers geen kant op? Vooral arme mannen dronken nogal eens te veel. Bij hen in de straat woonden ook twee van die gezinnen! De man was nu eenmaal de baas in huis, dat was zelfs in de wet zo geregeld. Vrouwen hadden zich te schikken en als het erop aankwam, hadden vrouwen helemaal niets in te brengen.

Vader was nog niet uitgepraat. 'De mannen dragen de manden dan over de loopplank de wal op, dat is vanzelfsprekend veel zwaarder werk, en ze moeten nog oppassen ook om niet uit te glijden, want van al die modder wordt de loopplank glad.'

'Net als het dorp door die moddertroep glad wordt,' knikte zijn vrouw begrijpend, want ze wilde toch ook wel wat zeggen. 'Als ze misstappen, komen ze met bieten en al in de haven terecht en kunnen ze wel verdrinken, want bijna niemand kan immers zwemmen.'

Vader knikte. 'Het zal weleens gebeuren, maar dan worden ze er weer uitgehaald, moet je maar denken. Een nat pak is niet het ergste. Maar goed, de bieten worden dan op de kade gelost, want zodra er een schip leeg is, moet het vertrekken en plaatsmaken voor andere schepen die al liggen te wachten. Als de wind ongunstig is, kan dat lastig zijn.'

'Ze zouden stoomboten moeten hebben,' dacht Hilly eigenwijs.

'Ja, lieve kind, maar de meeste schippers zeilen nu eenmaal met hun vrachtschip. Misschien komen er in de toekomst meer schepen met machines die op stoom werken op de rivieren, maar in de toekomst kijken kan niemand.' Vader schraapte zijn keel, stopte wat pruimtabak in zijn wang en kauwde daar eens rustig op. Huisman hield net als veel andere mannen van pruimtabak. Metje breide ijverig verder aan een nieuwe sok voor Izak en zei niets. Ze moest zelfs moeite doen om haar gedachten te houden bij wat vader allemaal over de fabriek vertelde, want de woorden van Meeuwis Tol zaten haar nog steeds flink dwars. Ze had het gevoel gekregen, onaangenaam genoeg, dat hij haar in de gaten hield, omdat hij daar mogelijk zelf belang bij zou hebben. Hij hield haar in het oog, tot in de kerk toe! Ze zou morgen zorgvuldig vermijden zijn kant op te kijken!

Ze had mijnheer De Beijer laatst horen zeggen dat het zware werk om de schepen te lossen niet erg geliefd was bij de dorpelingen, en dat er daarom een tekort was aan dergelijke arbeiders.

'De bieten die uit de schepen komen, worden daarna gestort boven op goten, die met schotten of luiken zijn afgedekt,' vertelde vader Huisman onverdroten verder over zijn werk en de gang van zaken op de fabriek, waar hij nu alle dagen mee te maken had. 'Door die goten stroomt water uit de rivier naar de fabriek. Om de bieten naar de fabriek te laten 'zwemmen' trekt de zwemmersbaas, geholpen door zijn helpers die 'zwemmers' worden genoemd, telkens enkele van die luiken weg, zodat de suikerbieten van de berg af rollen en in de goot met water terechtkomen. Soms zit er echter zo veel klei aan de geloste bieten, dat de berg als vanzelf overeind blijft staan, omdat al die vochtige klei aan elkaar vastplakt. Dan moeten de zwemmers in de berg prikken, om er toch nog beweging in te krijgen. Dat is ook geen prettig werk.' Vader zuchtte ervan en leek des te meer in zijn sas met zijn eigen baantje in de fabriek. Hij hoefde dan ook nooit in weer en wind in deze kille herfsttijd in de buitenlucht te werken. Genoeg arbeiders kwamen na een lange werkdag immers totaal verkleumd thuis. De arbeiders in de suikerfabriek hadden een werkweek van zestig uur.

'Soms ben ik blij een meisje te zijn,' dacht Hilly hardop. 'Het huishouden is anders ook hard werken,' reageerde haar moeder stekelig. 'Een vrouw is nu eenmaal niet zo sterk als een man, zo heeft God ons geschapen. En wij baren kinderen. Dat zouden mannen nooit kunnen verdragen, de pijn die daarbij komt kijken.'

'Doet een kind krijgen dan pijn?' vroeg Hilly nieuwsgierig en een tikje ongerust tegelijkertijd.

Haar moeder haastte zich, haar dochters te verzekeren dat dit wel meeviel, maar Metje wist best dat jonge vrouwen soms stierven in een kraambed, al dan niet met hun kindje erbij. Ze zweeg echter, want haar vader was die avond kennelijk nog lang niet uitgesproken en keek al ontstemd.

'De gor, zo heet dat, daarin spoelen de bieten naar de fabriek en dan komen ze daar in de wasmolen terecht, die bediend wordt door de molenbaas. Dan is de klei van de bieten en worden ze gekapt. Het restant loof moet eraf en ten slotte moeten ze worden gesneden en geraspt, zodat ze in reepjes verder verwerkt kunnen worden.* Dat bietensnijsel komt dan in de kookketels terecht, vermengd met water. In die ketels moet het snijsel worden aangestampt, en daar werk ik. Dat instampen is een heel precies werk. Instampers, zo heten wij. Het bietensnijsel moet boven in de ketel worden aangestampt om een goede vulling van de ketel te krijgen, en als we ons werk niet goed doen, lopen we het risico tot ons middel in de smurrie weg te zakken. Dat is enkele keren gebeurd, maar dan weten we dat we ons werk niet goed hebben gedaan.'

'Ik zou best eens goed in de fabriek willen rondkijken,'

* Die reepjes leken op de latere frites.

mijmerde Metje hardop om haar gedachten los te weken van zowel Jan Huijbers als Meeuwis Tol.

'Geen vrouwen in de fabriek, nu ja, behalve juffrouw Vermeulen, die de brieven opschrijft voor de heren directeuren. Dat is een noodzakelijk kwaad.'

Zijn vrouw en kinderen wisten wel hoe een man als vader Huisman dacht over werkende vrouwen. Uit dienen gaan tot ze trouwden, ja. Huishoudster of naaister worden als ze niet trouwden en overschoten als oude vrijsters, zoals dat in de volksmond heette, ook dat, want anders moesten ze door hun familie onderhouden worden en dat kon alleen in betere kringen. Dergelijke vrouwen moesten dan overigens maar al te vaak naar de pijpen van hun mannelijke familieleden dansen en werden vaak niet netjes behandeld, dus dat was ook meestal geen benijdenswaardige positie. Een weduwvrouw moest bijna altijd uit werken gaan om haar kinderen en zichzelf te onderhouden. Ze kon een nering beginnen of wat dan ook, zodat ze niet onnodig afhankelijk werd van de diaconie. Verpleegster worden was sinds een paar jaar ook mogelijk. Een enkele jonge vrouw uit betere kringen was vanaf het eiland naar de stad vertrokken, om in Rotterdam tot pleegzuster te worden opgeleid, maar dat werd toch wel als bedenkelijk beschouwd, want verpleegsters moesten ontklede mannen verzorgen en er waren maar weinig vaders te vinden die een dergelijk werk toejuichten. Nee, in de ogen van de mannen hoorden vrouwen te trouwen en voor hun man te zorgen en als Metje naar haar moeder keek, wist ze dat dit ook lang niet altijd eenvoudig was. Haar eigen vader was een rustige man die niet te veel dronk en zijn handen thuishield, al eiste hij altijd zijn eigen gelijk en gehoorzaamheid op, en haar moeder had het daar weleens zwaar mee. En dat geheimzinnige gedoe in de bedstee, waarvan zij en Hilly ongewild geluiden opvingen, ach, haar moeder had weleens verzucht dat mannen daar nu eenmaal behoefte aan hadden en dat het een getrouwde vrouw niet paste om zich aan die plicht te onttrekken. Maar ze had er ongemakkelijk bij gekeken en hoewel het Metje een raadsel was wat dat dan precies inhield, was het duidelijk dat haar vader het wel prettig vond en haar moeder helemaal niet. Moe vond het kennelijk een kruis dat ze maar moest dragen. Metje haalde maar eens diep adem. Haar vader had met zijn tong zijn pruimtabak in zijn linkerwang geprop en nipte aan zijn vaste zaterdagavondborrel. Haar moeder troostte zich met een cognacje met suiker. Ze waren vanmiddag het dorp in geweest en als gebruikelijk had het gezin zich op de vroege avond in de teil gewassen tijdens het wekelijkse bad, waarvoor ketels vol water warm waren gemaakt op het keukenfornuis.

'Uit de ketel komt de suikerstroop,' vertelde vader verder, die blijkbaar nog steeds op zijn praatstoel zat. 'Jullie moeten wel luisteren, jullie willen toch zo graag weten wat er in de nieuwe fabriek allemaal gebeurt? Nu dan! Dan vertel ik dat, en dan past het jullie niet om te gaan zitten gapen. Hilly!'

'Ja vader,' antwoordde het meisje beschroomd, maar Metje kon wel begrijpen dat de gang van zaken in de fabriek haar zusje maar matig interesseerde.

'Er wordt goed bijgehouden hoeveel bakken met suikersap er worden verkregen. De baas gaat dan ook vaak naar de meetbak, waar dat wordt bijgehouden. Het suikersap moet worden gezuiverd en daar wordt cokes voor gebruikt die gebrand wordt met kalksteen. Daarvoor zorgt de ovenbaas en die is oud en kan het werk niet goed aan, hij heeft dat al jaren in Roosendaal gedaan. Ik hoop weleens stiekem dat ik hem mag opvolgen als hij de poort uit wordt gestuurd omdat het werk hem te zwaar is geworden. Misschien volgend jaar, of anders over twee jaar.'

'Dus u wilt wel in de fabriek blijven werken?'

'Vier maanden per jaar een goed en vast loon, meisje. Daar halen niet veel arbeiders de neus voor op! Boeren mopperen zelfs dat ze nu niet genoeg mannen meer kunnen inhuren om de aardappelen en de bieten uit de grond te halen, omdat ook nog eens veel jonge kerels het liefst naar de stad trekken om daar in de havens van Rotterdam te gaan werken.' De oudere man haalde zijn schouders op, goot de overgebleven inhoud van zijn glas naar binnen, hield het aan moeder voor, die het gedwee weer vulde, kauwde een paar keer op de klodder tabak in zijn mond en ging verder alsof hij nog meer geweldig nieuws te vertellen had. Hilly zuchtte hoorbaar, en kreeg een vuurrode kleur toen haar vader haar meteen een bestraffende blik toewierp.

'Uiteindelijk komt het suikersap dan bij de suikerkokers terecht. Er zijn in de fabriek twee kookpannen, omdat die uit de twee oude fabrieken uit Brabant komen. De suikerkoker is zo ongeveer de belangrijkste man in de hele fabriek, al zal de directie daar wel anders over denken. Hij regelt het kristallisatieproces in de kookpannen en doet dat eigenlijk op zijn gevoel. Zoiets moet je leren door ervaring, zegt hij. Er moeten suikerkristallen worden gevormd van de juiste grootte, en om dat te bereiken worden er vaak monsters genomen en door hem beoordeeld. Daarna hebben we ruwe suiker, die naar voorraadbunkers gaat en daar wordt opgezakt in jute zakken van honderd kilo per stuk. Als die zakken dan met zakkengaren dicht zijn genaaid en in keurig nette rijen zijn opgeslagen, kan die in de loop van het jaar naar behoefte worden uitgeleverd aan de afnemers. Daarom gaat de fabriek nooit helemaal dicht. Een kleine groep arbeiders blijft er het hele jaar door aan het werk, ook als de campagne met Kerstmis voorbij is. Een deel van de suiker wordt nog geraffineerd tot de witte kristalsuiker die je moeder bij de kruidenier kan kopen.'

'Suiker is duur, maar nu begrijp ik wel hoe dat komt. Er moet hard voor gewerkt worden.'

'Zeker, zeker. Het is ongekend voor het eiland, dat zo veel mensen bij elkaar werken in een fabriek. Stel je voor, volgens onze portier Jan Huijbers, die om welke vreemde reden dan ook graag een praatje met mij komt maken, werken er tijdens de vier campagnemaanden tweehonderd arbeiders in de fabriek.'

Metje werd rood, boog zich verder over haar breikous en haar naalden tikten driftig, terwijl ze hoopte dat niemand haar plotselinge verlegenheid had opgemerkt.

Nog voor ze de kerk binnenging, de volgende morgen, grinnikte Meeuwis in haar ogen nogal brutaal tegen haar en haar hart stond bijna stil van schrik, want als andere vrouwen dat hadden opgemerkt, zouden nog voor het middaguur vervelende geruchten daarover het dorp rondgaan. Metje staarde tijdens de dienst zo veel mogelijk naar de grond, of hield haar ogen strak op de preekstoel gericht, met zo nu en dan hooguit even ronddwalen aan de vrouwenkant. Ze had weleens horen praten over ongewenste vrijers, maar merkte nu pas hoe lastig dat kon zijn. Hoewel, misschien had Meeuwis er alleen maar een zeker genoegen in het haar lastig te maken, en waarom zou dat anders zijn? Ze kenden elkaar nauwelijks. Natuurlijk hadden ze op dezelfde school gezeten, maar hij was een paar jaar ouder dan zij, zelfs nog iets ouder dan haar broer Cees, dacht ze, en waarom zou hij aandacht besteden aan jongere kinderen? Zijn eigen broers en zussen waren allemaal ouder, als ze zich goed herinnerde, allemaal getrouwd en het huis uit, en hij woonde in huis met zijn oude moeder, maar heel precies wist ze dat niet. Hij was een blonde jongeman met blauwe ogen zoals de meeste boerenjongens die hier hadden, met lichte wenkbrauwen en nogal wat sproeten in zijn gezicht, misschien wel omdat hij alle dagen buiten liep met de post.

De minuten van de kerkdienst kropen vanmorgen tergend traag voorbij, dacht Metje in stilte. Haar moeder keek eens opzij toen ze een diepe zucht slaakte. Ze vermande zich en nam een pepermuntje om haar aandacht beter bij de preek te kunnen houden. Toen het orgel eindelijk na de lange preek ging spelen, zong ze bijna als vanzelf de psalm mee. Het amen van de dominee had ze als een opluchting ervaren en ze wist best dat ze zich daarvoor moest schamen, maar het was niet anders.

'Wat ben je gespannen,' merkte haar moeder op nog voor ze goed en wel buiten stonden en vader zich met zijn zoons weer bij de vrouwen voegde, zodat ze met elkaar naar huis konden lopen. Haar moeder droeg zoals bijna alle oudere vrouwen een kanten muts zoals die al eeuwenlang door vrouwen in de streek gedragen werd, gemaakt van smalle kant, want ze hadden geen geld voor brede kant waarmee rijkere vrouwen graag hun welstand lieten zien. Een muts met koperen krullen, geen gouden zoals die van de boerenvrouwen. Met weinig windingen, en niet met veel windingen zoals de vrouwen die uit meer welgestelde families kwamen. Wanneer een vrouw klederdracht droeg, was haar sociale status daar dus meteen aan af te zien. Maar jongere vrouwen wilden vaak niet langer klederdracht dragen. Moe droeg een zwarte hoed die in de streek kiep werd genoemd, net als de andere vrouwen boven op haar muts. Toen Metje zich omdraaide om haar ouders te volgen naar huis, lukte het Meeuwis toch om opvallend naar haar te grinniken. Ze kreeg er tegen wil en dank een kleur van, en bijna meteen begon Izak achter haar te grinniken. 'Nee maar, mijn zus heeft een aanbidder.'

Vader draaide zich meteen om, als een gebeten hond. 'Verkoop geen praatjes,' las hij zijn jongste zoon de les, en Metje kon alleen maar hopen dat niemand haar vader en broer gehoord had en dat haar vader werkelijk geloofde, dat Izak maar wat onzin uit had lopen kramen.

Zoals altijd kropen de zondagmiddaguren uiterst traag voorbij. Haar moegewerkte vader haalde zoals meestal wat slaap in. Huib was het dorp in gegaan, zonder te zeggen waar hij naartoe ging. Dat was iets dat de laatste weken wel vaker was gebeurd. Moe had daar niets van gezegd. En Izak met zijn grote mond!

Waarschijnlijk zat Huib ook achter een of ander meisje aan, en waarom niet? Ook hij had de leeftijd waarop veel jongemannen al getrouwd waren of op zijn minst vaste omgang met een meisje hadden. Moeder verveelde zich altijd snel als ze niets te doen had. In tegenstelling tot Metje las ze niet graag, en als haar man sliep, wilde ze soms toch weleens stiekem gaan zitten breien om de tijd te doden, ook al vond vader werken op zondag niet nodig en beschouwde hij breien als verboden werk. Koken, ja, dat mocht moe, hoewel dat niet in alle gezinnen zo was. Veel vrouwen kookten op zaterdagavond een pan rijstepap, die dan in de hooikist warm werd gehouden en op zondag als middagmaal zo op tafel werd gezet. Maar zo streng was vader gelukkig toch ook weer niet. Metje vroeg zich af of ze het aan zou durven even naar buiten te gaan. Hilly was gaan knikkeren achter het huis. Op straat spelen op zondag mocht evenmin, maar vader sliep en met een onverwachte glimlach bedacht Metje dat zodra vader in slaap gevallen was, er allerlei dingen in zijn gezin gebeurden die hij als verkeerd beschouwde.

'Het heeft afgelopen week vaak geregend, moe, en nu schijnt de zon. Ik wil zo graag even naar buiten, wandelen naar de haven, meer niet, gewoon even buiten zijn. Mag dat?'

De vrouw keek schichtig naar de bedstee en durfde geen ja of nee te zeggen.

'Ik blijf niet lang weg, en ik zal Hilly wel meenemen, dan hoort vader ook de knikkers niet.'

'Goed dan, maar ik weet van niets.'

'Ik ga naar de haven wandelen,' zei ze buiten tegen haar zusje. 'Even lekker buiten zijn, kom maar mee. Als vader wakker wordt en de knikkers hoort, dan zwaait er wat.'

Hilly zuchtte. 'De rustdag mag dan door God zo zijn gewild, maar mij duurt hij te lang en is hij te vervelend,' mokte het meisje.

'Dat is anders voor mensen die veel te hard moeten werken,' suste Metje met een glimlach. 'Die kunnen de extra rust goed gebruiken.'

'Maar goed dat vader slaapt,' knikte Hilly. 'Heb je misschien stiekem met iemand afgesproken?'

'Welnee! Hoe kom je daarbij?'

'Dat doet Huib ook. Ik zag Meeuwis wel naar je kijken, hoor, al deed jij net of je dat niet leuk vond.'

'Ik vind dat ook niet leuk. Ik mag Meeuwis Tol niet.'

'Is er dan een ander?'

'Welnee,' antwoordde ze gelaten, al kon ze niet voorkomen dat er toch een lichte blos op haar wangen verscheen. Meestal hield ze veel van haar zusje, maar het was wel vervelend dat ze soms zulke opmerkingen maakte. Ze staken de dijk over; de modder daar waar de tram reed was in de koude winterzon opgedroogd. Er waren meer mensen die in het zonnetje wandelden. Bij de haven slenterden ze langs het water. Nog niet lang geleden was de haven verbreed en uitgediept, om die toegankelijker te maken voor schepen. De suikerfabriek had gelukkig zijn eigen haven gekregen, want wat zouden al die bieten midden in het dorp moeten? Metje genoot ervan om buiten te zijn.

Tot haar verrassing kwam ze mijnheer en mevrouw tegen. Mevrouw knikte minzaam. Misschien kreeg ze een beetje meer kleur als ze een wandeling in de zon maakte, meende Metje. Het mocht dan mode zijn een blanke huid te hebben voor deftige dames, zodat ze daarmee lieten zien dat ze geld genoeg hadden om niet op het land te moeten werken, maar zo breekbaar en bleek als mevrouw er altijd uitzag, vond ze toch niet erg gezond. Aan het eind van de haven, boven op de dijk, keken de twee zusjes een poosje naar de rivier. Meeuwen scheerden over het water. Er zwommen eenden rond. In de verte cirkelde een buizerd op zoek naar een prooi. Toen ze zich weer omgekeerd hadden en langs de haven terugslenterden, zag ze in de verte Jan Huijbers staan praten met een groepje andere jongemannen die in de fabriek werkten. Ze hoopte maar dat hij haar niet op zou merken.

6

Sinterklaas was voorbijgegaan zonder dat ze daar in het gezin Huisman veel van gemerkt hadden. Het feest van de goedheiligman was uiteraard in de eerste plaats een kinderfeest, en er waren geen kleine kinderen meer in de familie, dus vierden ze het ook niet langer. Metjes oudste broer was weliswaar getrouwd en haar schoonzus was duidelijk zichtbaar in verwachting van het kindje dat ongeveer in februari geboren zou moeten worden, dus in de toekomst zou dat wel weer veranderen. Het sinterklaasfeest werd in het dorp overigens altijd heel bescheiden gevierd. Arme mensen hadden immers geen geld om cadeautjes te kopen. Suikerbeesten waren duur. Chocolade eveneens. Als een huisvrouw het kon betalen, wilde die nog weleens zelf fondant koken, en dat had moeder Huisman dit jaar dan ook gedaan. Nu vader in de suikerfabriek werkte en een goed loon mee naar huis bracht, wilde ze zich die heerlijke luxe niet ontzeggen. Vader had overigens in zijn tabaksdoos zo nu en dan wat suiker mee naar huis gesmokkeld. Dat deden de meeste mannen, zei hij.

Kerstmis was in aantocht. Niet dat daar wel veel aan werd gedaan! Kerstmis betekende twee extra vrije dagen. De mannen konden gaan uitrusten van het harde werken in de suikerfabriek tijdens de campagne. Meestal was er wel wat extra's bij het eten en vanzelfsprekend ging men naar de kerk. Enkele meer welgestelde mensen begonnen de gewoonte van het hof en enkele echt rijke families over te nemen, en zetten een boom in huis om te versieren. Wie het iets minder had, hing een tak met groen in huis op, boven een schilderij of zo, met wat zelf gevlochten versieringen erin van stro, maar verreweg de meeste mensen vonden dat een heidense gewoonte, die niet bij het christendom paste. Katholieke mensen dachten daar doorgaans soepeler over dan de veel strengere protestanten en nu er veel meer katholieke mensen in het dorp waren komen wonen met de komst van de suikerfabriek, was ook in het plattelandsdorp de verandering van de nieuwe tijd merkbaar.

Tot haar verbazing hoorde Metje van juffrouw Vogelaar dat de familie De Beijer vorig jaar voor het eerst een kerstboom in huis had gezet en dat er dit jaar weer een zou komen, omdat mevrouw zeer had genoten van de brandende kaarsjes op kerstavond en op de kerstdagen zelf. Ze was er aan de ene kant nieuwsgierig naar, maar tegelijkertijd dacht ze er verstandig aan te doen niet aan haar ouders te vertellen dat de familie waar ze werkte zich ophield met dergelijke frivoliteiten, want ze was er zeker van dat haar vader dat zwaar af zou keuren. Niettemin, meende ze, ze had een goed dienstje, de inkomsten zouden ze thuis niet kunnen missen, dus vader zou wel verstandig zijn en niet van haar eisen dat ze om die reden op zou zeggen en weer in dienst ging bij iemand van hun eigen kerk. Trouwens, dat was immers het geval geweest tot een paar maanden geleden, en daar had ze het helemaal niet naar haar zin gehad! Was er eerst nog sprake van geweest dat mijnheer en mevrouw De Beijer de dagen rond Kerstmis en de jaarwisseling in Brabant door zouden brengen, om redenen die aan het personeel niet werden verteld, was inmiddels besloten dat de zoon en zijn vrouw, en de dochter met haar gezin, naar hier zouden komen en dus zouden komen logeren. Maar Kerstmis was het nog niet!

'Waarom heeft mevrouw eigenlijk geen katholieke meid meegenomen uit Brabant?' vroeg ze na haar overpeinzingen plotseling nieuwsgierig aan de huishoudster.

Deze keek van haar weg.

'Er zijn genoeg meisjes meegekomen met de Brabantse arbeiders,' drong Metje aan, omdat ze de reactie van juffrouw Vogelaar verwarrend vond. Gek, hierover had ze eerder helemaal niet nagedacht en nu ze dat wel deed, vond ze dat nog vreemder. 'Het zijn mijn zaken natuurlijk niet,' haastte ze zich op te merken toen ze een donkere blik in de ogen van de juffrouw zag verschijnen. Het drong tot haar door dat het niet verstandig zou zijn hier verder naar te vragen.

Na het avondbrood ruimde ze samen met de huishoudster af, waarna deze naar boven ging omdat ze moe was, wat vaker gebeurde sinds ze met griep op bed gelegen had. Metje deed in haar eentje de vaat. Toen alles keurig netjes was opgeruimd, maakte ze verse koffie voor mijnheer en mevrouw. De koekjes werden netjes op een schaaltje gelegd. De met enige hulp voldoende hoeveelheid gebroken koekjes legde ze op een ander schoteltje. Tegen halfacht was de huishoudster weer beneden. 'Alles staat al klaar, zie ik. Je bent een lief kind, weet je dat?'

Omdat complimentjes zeker geen dagelijkse gebeurtenis waren, werd Metje er verlegen van. 'Dank u, juffrouw. Ik heb het naar mijn zin in dit dienstje. Nu uw man 's morgens de kachels aanmaakt omdat hij mijnheer niet meer weg hoeft te brengen naar de fabriek en ik daarom en halfuurtje later mag beginnen, vind ik het helemaal niet erg om 's avonds pas naar huis te gaan als ik mijnheer en mevrouw hun koffie heb gebracht.'

'Ik vind het jammer dat ik nog zo snel moe ben,' haastte de huishoudster zich een tikje schuldbewust op te merken.

'U werkt hard en bent de jongste niet meer. Al die trappen op naar boven moet ook zwaar zijn.'

'Ja, kind, maar dat is het lot van een gewoon mens. Wie niet werkt zal ook niet eten, dat zal in jouw bijbel evengoed staan als in de mijne.'

Ze glimlachte. 'Mevrouw heeft in haar hele leven nog nooit een dag gewerkt.'

'Denk erom, visite ontvangen van de juiste mensen, liefdadigheidswerk doen voor de kerk, dat vraagt ook allemaal energie.'

'Mevrouw is zo breekbaar, ze ziet er altijd uit alsof ze net ziek is geweest,' dacht Metje hoofdschuddend.

'Mevrouw is zeker niet sterk, maar onder haar breekbare uiterlijk schuilt een taai karakter, vergis je daar niet in.' De juffrouw pakte het dienblad op en verdween naar boven. Metje schikte alles nog eens netjes, schonk toen twee koffiekopjes vol en klopte even later op de deur van de salon voor ze er binnenging.

Mijnheer las als alle avonden de krant. Mevrouw borduurde. Soms gingen ze 's avonds op bezoek bij een van de andere directeuren, of bij deftige mensen van hun eigen kerk. Een keer waren ze bij de jonge dokter geweest, over wie in het dorp momenteel zo veel gesproken werd, en soms gingen ze naar de notaris of pastoor. Deftige mensen zochten elkaar allemaal op, smaalde haar broer Huib soms, maar uiteindelijk waren dat hun zaken niet. Het was al heel wat dat ze met de juffrouw in de keuken kon eten en daar voor en na het eten gewoon mocht bidden zoals zij dat gewend was, en niet, zoals de anderen deden, werd verplicht om een kruis te slaan.

Ze keek even later de keuken rond of alles er wel smetteloos uitzag, toen de keukendeur openging, en ze keek volkomen verrast op toen Jan Huijbers de keuken binnenstapte.

'Ik zag je lopen in het lamplicht en ik zag ook dat er niemand anders in de keuken was. Ik sta al meer dan een half-uur op je te wachten, Metje. En het is verrekte koud geworden, buiten!' Hij blies in zijn handen, zijn wangen zagen inderdaad rood van de kou. Ze was nog meer verbijsterd toen hij een keukenstoel pakte alsof hij hier dagelijks over de vloer kwam. 'Heb je niet een kom koffie voor me om weer warm te worden? Ze zijn hier toch altijd zo royaal, heb je eens verteld?'

Eindelijk vond ze haar spraak terug. 'Wat doe jij nu hier binnen?'

Hij keek demonstratief om zich heen. 'Er is toch niemand anders? Wij vinden elkaar aardig, Metje. Waarom moeten we elkaar dan stiekem op straat ontmoeten, alsof we iets doen wat niet door de beugel kan?'

Ze aarzelde. De juffrouw was al naar boven gegaan en zou het gebruikte serviesgoed pas morgenochtend, als ze opgestaan was, weer mee naar beneden nemen. Mijnheer en mevrouw hadden hun koffie gehad. Meer dan een kopje dronken ze niet 's avonds en een borrel en een likeurtje schonk mijnheer altijd zelf in, die zou heus nog geen stap in de keuken van zijn huis zetten! 'Ik kan hier niet blijven zitten,' aarzelde ze. 'Ik moet naar huis, ze wachten op me.'

'Ze merken het heus niet als je een halfuurtje langer wegblijft. Toe nu, ik heb het ijskoud gekregen en ik wil zo graag even met je praten, zonder dat iemand anders zich daarmee komt bemoeien.'

Ze liet zich vermurwen, maar voelde zich er verre van prettig bij dat hij er blijkbaar geen probleem mee had om zo brutaal te zijn, en nu rustig in andermans keuken koffie zat te drinken en erger nog, hij accepteerde niet alleen een stukje koek van het schaaltje dat ze hem voorhield, hij at dat schaaltje zonder enige aarzeling helemaal leeg! Hoe moest ze dat morgen aan de juffrouw uitleggen als die er zo goed als zeker een opmerking over zou maken? Dan moest ze maar zeggen dat ze zelf buitengewoon veel trek in zoetigheid had gekregen, hoewel ze daar gewoonlijk heel matig mee was. Zij was zo iemand die een boterham met kaas eigenlijk veel lekkerder vond dan een stuk koek, al dachten de meeste mensen daar anders over.

Haar aarzeling stoorde hem niet, scheen het. 'Lekker, Metje.'

'Ja, ze drinken hier goede koffie.' Ze nam zelf ook nog maar een beetje, maar voelde zich vanbinnen steeds ongemakkelijker. Zodra hij het laatste slokje op had gedronken en nog net niet om een tweede kom vroeg, waste ze het haastig af, borg de sporen van het verboden bezoek zorgvuldig weg. Vogelaar zou later op de avond alles afsluiten, wist ze. Dat deed hij elke avond. Ze moest maar liever maken dat ze wegkwam. Ze draaide de olielamp zo laag dat het pitje bijna uitdoofde en dat laatste kleine vlammetje blies ze uit. 'Kom mee. En Jan, dit moet je niet nog een keer doen. Ik heb het naar mijn zin hier, en ik wil niet het risico lopen de laan uitgestuurd te worden omdat ik iets doe wat eigenlijk niet mag.'

Hij lachte onbekommerd, maar liet zich gewillig door haar naar buiten sturen. 'Ik vond het fijn. Kom, Metje, ik loop nog een stukje met je mee. Mag ik nog steeds niet helemaal mee tot je thuis bent en dan op zaterdagavond bij jullie langskomen?'

Ze liepen de poort door en ze trok de poortdeur achter zich

dicht. Vogelaar zou er straks de knip op doen. Ze bleef staan in de steeg die in de straat uitkwam. Hier was het donker en zouden ze niet snel worden gezien. 'Dat kan niet, Jan. Ik weet wat je daarmee bedoelt, maar dat zal nooit het geval kunnen zijn. Jij gaat nu eenmaal naar een andere kerk dan ik, en voor mijn vader zijn die verschillen onoverbrugbaar. Dus feitelijk is het beter als je maar helemaal niet meer op me wacht en een meisje zoekt van je eigen kerk. Dat is niet alleen beter voor jezelf, maar ook voor mij.'

Hij keek bedrukt. Ze stonden in het donker, maar ze voelde het dat hij er anders over dacht dan zij. Ineens trok hij haar tegen zich aan en begon hij haar te zoenen. Haar hart bonsde in haar borst, want nooit eerder was ze door een man zo brutaal op de mond gezoend. Ze vond er trouwens ook niet veel aan!

Zodra hij haar losliet, deed ze een stap opzij. 'Je bent te ver gegaan! Wacht niet meer op me, Jan, want hier ben ik echt niet van gediend!'

Ze haastte zich de steeg uit, de dijk op, ze liep sneller dan normaal en had het gevoel dat hij nog steeds vlak achter haar liep, en erger nog, dat elk moment om de hoek van een of ander huis Meeuwis Tol tevoorschijn zou komen om weer hatelijke opmerkingen te maken over haar losbandigheid of erger.

'Er zijn tegenwoordig buitengewoon veel jonge vrouwen met gezondheidsklachten,' grinnikte Vogelaar de volgende dag onder het eten van een bord stevige erwtensoep.

'Is er dan een epidemie of zo?' wilde Metje ongerust weten.

'Nee hoor. De dokter is nog ongetrouwd en de jongedames willen graag zijn aandacht op zichzelf vestigen. Al die ziektes gaan vanzelf weer over, zodra de dokter verloofd is,' was het nuchtere antwoord van de juffrouw.

Ze moest tegen wil en dank lachen. 'Dat is een leuke roddel om vanavond thuis te vertellen,' glunderde ze. 'Vooral mijn zusje Hilly zal er vreselijk om moeten lachen, zodat mijn moeder haar beschaamd tot de orde moet roepen.'

'Gezellig klinkt dat, een groot gezin,' mijmerde de oudere vrouw, die haar kinderloosheid al tientallen jaren betreurde en daar nog steeds verdriet over had, vooral nu ze de leeftijd had bereikt dat haar enige zuster een paar kleinkinderen had gekregen. Het was net, had ze Metje eens op een ongekend moment van vertrouwelijkheid toegefluisterd, of ze de pijn ervan nu voor de tweede keer doormaakte. Maar als het Gods wil was, moest ze zich daarbij neerleggen, en misschien was het slecht van haar dat het haar zo veel moeite kostte, Zijn wil daarin te accepteren. 'Hebben jullie altijd zo veel plezier met elkaar?'

'Nee, juffrouw, echt niet. Mijn broers kunnen me ook verschrikkelijk plagen. En dan vind ik ze helemaal niet aardig. Bovendien is vader erg streng.'

De oudere vrouw glimlachte. 'Mijn zuster wilde graag dat wij de kerstdagen bij haar kwamen logeren, maar nu mevrouw heeft gezegd dat haar dochter en schoonzoon komen logeren van de dag voor kerst tot de dag na Nieuwjaar, kan dat natuurlijk niet.'

Het klonk heel verdrietig, maar zelfs Metje begreep dat zij niet zo deftig kon koken voor zo'n groot gezelschap, en vader en moeder zouden het ook niet prettig vinden als ze met name op de eerste kerstdag werken moest. Maar soms kon dat niet anders. Het was al een groot goed dat ze op de zondag nog nooit had hoeven werken, omdat juffrouw Vogelaar dan altijd voor de maaltijden van mijnheer en mevrouw zorgde. Juffrouw Vogelaar had eigenlijk nooit eens een echte vrije dag. Misschien had ze er daarom stiekem wel van genoten, eindelijk eens ziek te zijn en door iemand anders te worden bediend. Ineens had Metje medelijden met de ouder wordende vrouw, voor wie het leven weinig hoop op verbetering in petto leek te hebben.

'Ik wist niet dat er zo lang logés kwamen,' hakkelde ze. 'Had u gehoopt, dat mijnheer en mevrouw zelf ergens uit logeren gingen, zodat u dan vrij zou zijn?'

'Eerlijk gezegd, ja. Dat is twee jaar geleden ook eens

gebeurd en wij hebben er toen erg van genoten om bij mijn zus te logeren. We hebben maar weinig familie, weet je. Ik heb alleen een zus en in de familie van mijn man zijn de meesten al jong gestorven. Ze hebben bijna allemaal zwakke longen. Gelukkig is mijn man een sterke vent gebleken. Ik zou me geen raad weten zonder hem! Wij houden van elkaar, moet je weten. Dat kunnen lang niet alle echtelieden zeggen. Om eerlijk te zijn waren we destijds zo verliefd, dat we onverstandig zijn geweest, en dus was de trouwerij een moetje. Twee weken na de trouwdag kreeg ik een miskraam, en daarna ben ik nooit meer zwanger geworden. Het zal de straf van God wel zijn, denk je niet?'

'Daar durf ik geen oordeel over te vellen, juffrouw Vogelaar. Gods wegen zijn nu eenmaal ondoorgrondelijk. Er zijn mensen die alles doen wat in de tien geboden is verboden en die daar nooit voor gestraft lijken te worden, en er zijn evengoed mensen die een voorbeeldig leven leiden en bij wie alles tegenzit.'

'Je hebt gelijk. Je bent een verstandig kind. Ik weet zeker dat jij ver gekomen zou zijn, als het mogelijk was geweest om langer naar school te gaan. Je bent heel erg pienter. Weet je zeker dat je niets anders van het leven wilt dan dienen, trouwen en moeder worden?'

'Er is niets anders mogelijk, juffrouw.'

'Ik weet het. Wel,' de juffrouw stond op. 'Het is donderdag, je moet dus helpen de meubelen in de boenwas te zetten, en mevrouw ontvlucht de drukte door als gebruikelijk op donderdag bij een tweetal andere dames van de kerk op de koffie te gaan, met wie ze min of meer vriendschap lijkt te hebben gesloten.'

'Ze was natuurlijk heel eenzaam, toen ze samen met haar man in een dorp kwam wonen waar ze bijna niemand kende, waar bijna iedereen protestants is en dus niet zomaar met katholieken om wil gaan, en dan ook nog haar kinderen en kleinkind daarginds achter te laten in Brabant, terwijl mijnheer lange dagen doorbrengt in de fabriek.'

Tegen het einde van de middag merkte zelfs Metje dat ze

moe was van het in de was zetten en weer uitwrijven van de vele zware houten meubelen in het grote huis. De werkvrouw was alweer vertrokken. Bovendien had ze in de latere middaguren het zilver gepoetst en had ze ook het koper bijna klaar. Alleen de koperen trekbel bij de voordeur moest nog worden gepoetst, maar haar armen deden pijn van al dat werken.

Ze was nog maar net bezig in de winterkou, toen er ineens een schaduw over haar heen viel. Nog voor ze zich omdraaide, vreesde ze dat Jan Huijbers toch weer teruggekomen zou zijn, maar haar schrik werd nog groter toen ze bij het omdraaien Meeuwis Tol zag staan, met drie brieven in zijn hand voor de familie De Beijer.

'Dat is even treffen,' grijnsde hij brutaal, terwijl zijn ogen haar van onder tot boven opnamen. 'Ik had toch al een hartig woordje met je willen spreken, dus nu hoef ik me niet op te gaan houden in donkere stegen of me te verstoppen in de achtertuin van deze familie, zoals een zeker heerschap graag schijnt te doen, die jou daarmee in diskrediet brengt.'

Haar hart stond bijna stil. 'Ik weet niet wat je bedoelt.'

'Dat lijkt me sterk. Gisteren nog heeft hij je hartstochtelijk staan zoenen, en jij scheen dat nogal prettig te vinden. Ik heb het zelf van Sjanie Pukkel gehoord.'

'Die kletskous! Geloof jij zonder meer alles wat ze zegt?' verweerde Metje zich blozend, terwijl ze driftig verder poetste, hoewel de trekbel inmiddels al aan alle kanten glom.

'Ik neem dat inderdaad met een korreltje zout. Het is waar, Sjanie is de grootste kletskous van het dorp, maar helemaal uit de lucht gegrepen zal het toch niet zijn.'

'Jan wachtte me inderdaad een heel enkele keer op, maar dat kan nauwelijks nieuws voor je zijn. Je houdt me blijkbaar al wekenlang nauwlettend in de gaten.'

'Blijkbaar moet er iemand op je passen, als je broers dat niet doen.'

'Mijn broers zijn minder bemoeizuchtig dan jij! Zoek iemand anders, Meeuwis, dat is het beste.'

'Zoiets heb je me al eerder aangeraden, maar waarom blijf

je er dan aanleiding toe geven? Je bent gezien. Sjanie, met de mooie bijnaam voor het grote onding naast haar neus, vertelt het overal rond, en het duurt niet lang eer je ouders ervan horen. Dan zit je goed in de puree, lieve Metje.'

'Ik ben jouw lieve Metje niet,' beet ze hem toe, en de deurbel was nog nooit eerder zo driftig gedwongen zijn koperen glans te tonen.

Hij had het lef om hardop te lachen. 'Tot nog toe heb ik me geamuseerd met je kattige opmerkingen, lieve kind. Maar dit is een serieuze waarschuwing.'

'Nu dan, je bent te laat. Jan Huijbers komt niet meer.'

'Heb jij hem dat duidelijk gemaakt?'

Waar ze het lef vandaan haalde wist ze niet, maar ze keek hem scherp aan. 'We hebben inderdaad gezoend, maar misschien viel hem dat tegen,' reageerde ze met donkere stem en een duidelijke blik van afkeer in haar ogen.

Hij haalde echter slechts zijn schouders op en grinnikte nog steeds. 'Fijn om te weten. Ik zal wat tegengif rondbazuinen tegen de roddels van Sjanie. Tot ziens, Metje, ik kijk nu alweer naar een nieuwe ronde kibbelen uit.'

7

Ze haatte dat heerschap, bleef het door haar hoofd tollen. Wat een ergerlijke kerel, en waarom dook hij keer op keer op met zijn hinderlijke bemoeizucht? Ze zou Jan Huijbers niet meer zien. Haar verstand zei dat dit een goede beslissing was, want uit dergelijke stiekeme ontmoetingen kon alleen maar veel narigheid voortkomen, voor haarzelf en voor haar hele familie, als ze ermee doorging. Toch voelde ze zich onrustig en niet helemaal zichzelf. Ze merkte dat haar moeder haar zo nu en dan met een onderzoekende blik opnam, maar moe vroeg nergens naar. Het was immers niets voor haar om over zaken als gevoelens te gaan praten. Haar ouders waren beiden praktisch ingestelde mensen. Er waren wel gezinnen waarin mensen gewoon konden zeggen wat ze dachten en voelden, maar dat was toch zeker niet de gebruikelijke gang van zaken. Als haar moeder verdriet had, bad ze in stilte en vroeg ze God de kracht om het te dragen. Niet meer, maar zeker ook niet minder. Zelf probeerde Metje ook te bidden om de juiste dingen te doen, maar het leek wel alsof een antwoord van boven niet zo gemakkelijk kwam en dan kon de twijfel over wat ze moest doen of juist laten, maar al te gemakkelijk toeslaan. Maar ze had Jan inmiddels duidelijk gemaakt dat er voor hen nooit een toekomst mogelijk zou zijn en dat was goed, besefte ze. Alleen begreep ze niet goed waarom ze dat vanbinnen toch verdrietig vond, en ook niet waarom ze zich zo mateloos aan de bemoeizucht van de postbode ergerde, terwijl haar vader hem zonder meer gelijk zou geven als hij wist dat zijn dochter weleens werd opgewacht door een jongeman die niet alleen niet naar hun eigen kerk ging, maar zelfs geen protestant was.

Die overwegingen leidden weer tot andere gedachten, die Metje in de war brachten en haar in deze dagen voor Kerstmis nogal eens uit haar slaap hielden. Ze was bijna tweeëntwintig. Over een paar weken was ze jarig. De meeste meisjes met wie ze op school in de klas had gezeten, waren inmiddels getrouwd en enkelen hadden al een of zelfs meer kinderen. Zij had zelfs nog nooit een vrijer gehad. Wat was er mis met haar? Als ze in de gebroken spiegel in het klompenhok keek, zag ze geen meisje dat bijzonder mooi of juist lelijk was te noemen. Niets bijzonders, maar gewoon. Ze was arm, maar goed, dat waren de meeste jongemannen in het dorp eveneens. Hilly had weleens gezegd dat ze een afwerende houding over zich had, die jongenmannen op afstand hield, maar daar had ze nooit verder over nagedacht. Jan had het niet gestoord, en Meeuwis blijkbaar ook niet, als hij haar hinderde met zijn vervelende opmerkzaamheid. Ze moest zichzelf, in deze laatste dagen van de eerste suiker-campagne, vaak de les lezen omdat haar gedachten zich met deze zaken bezighielden en een duidelijk antwoord er toch niet kwam. Nu ja, misschien was dat er wel, maar wilde ze er liever niet naar luisteren? Eén stap had ze gezet: ze had Jan duidelijk gemaakt dat hij beter naar een ander meisje om kon zien. De volgende vraag wilde ze zichzelf eigenlijk liever niet stellen. Vond ze het jammer, als hij dat ook daadwerkelijk deed? En een andere vraag waar ze geen antwoord op wist, was de vraag waarom ze zich toch zo mateloos ergerde aan Meeuwis.

Ondertussen waren de bieten op het eiland allemaal ge-rooid. Het rooien van de suikerbieten in de zware kleigrond van de Hoeksche Waard gebeurde vanzelfsprekend met de hand, door landarbeiders. Dat gebeurde met een smalle spade die slechts en korte steel had. De bieten kregen na het uit de grond steken met die spade een paar forse klappen, om de klei grotendeels kwijt te raken, en werden dan op rijen gelegd, allemaal met het loof naar de voorkant. Dan was het gemakkelijker om daarna het grootste deel van het loof af te hakken. Daarna werden de bieten op hoopjes gelegd en met het afgehakte loof afgedekt tot ze werden vervoerd. Bieten waren erg gevoelig voor vorst en daarom moest dit afdekken goed gebeuren.

Boeren die in de omtrek van Oud Beijerland woonden, brachten hun bieten zelf met paard-en-wagen naar de fabriek. Als de boerenwagen goed geladen was, kon een boer ongeveer tweeduizend kilo bieten per rit met paard-en-wagen vervoeren. Bij het huisje van de portier was dan ook een weegbrug, waarop de vracht werd gewogen, want vanzelfsprekend moest er goed bijgehouden worden wie er hoeveel vracht aan bieten afleverde, omdat een boer daar zijn geld voor moest hebben. Als boeren wel op het eiland woonden, maar verder van het dorp aan het Spui af, brachten ze hun bieten met paard-en-wagen naar speciale laadplekken die overal langs de tramlijn waren aangelegd. Daar werden de bieten dan in de tram geladen en werd later de natte pulp weer gelost om door de boeren te worden opgehaald om als veevoer te dienen. Bieten van buiten het eiland werden per schip aangevoerd.

Als een boer zijn bieten naar de fabriek had afgevoerd, werd het loof over het land verspreid en liet hij er zijn beesten overheen lopen om van te eten. Wat overbleef werd later mee omgeploegd, want dat was uitstekend voor de bemesting van het land. Nu Kerstmis naderde, waren de akkers bijna overal kaal.

Na het rooien van aardappelen en suikerbieten brak voor boeren de wintertijd aan. Dan moest het graan in de schuren worden gedorst. Er waren boeren die sinds enkele jaren gebruikmaakten van dorsmachines, die werden aangedreven door een paard, maar in de meeste boerenschuren begon het stoffige, door arbeiders vaak gehate werk met de dorsvlegels. Maar wie geld nodig had om te kunnen eten, nam uiteindelijk met elk werk genoegen, en kon het zich niet permitteren om kieskeurig te zijn.

Er waren dit jaar rond de tweehonderd extra losse arbeiders aangenomen voor de campagne van de suikerfabriek. Een deel van de seizoensarbeiders was uit Brabant gekomen, die mannen hadden de juiste werkervaring, en bivakkeerden nu tijdelijk in woonwagens aan de rand van het dorp. Maar de meeste arbeiders waren toch mannen uit het dorp, die in de rest van het jaar ander werk deden, zoals landarbeid of schilderen.

Kijk, als ze nu maar aan zulke praktische dingen dacht, dan

hielden die vervelende gedachten weer op, stelde Metje vast. Zei moe niet altijd dat hard werken de beste manier was voor een mens om zijn zorgen te kunnen vergeten?

'Je bent dromerig,' stelde juffrouw Vogelaar dan ook met een onbarmhartig scherpe blik vast. 'Is er misschien sprake van een leuke jongeman die alsmaar door je hoofd spookt?' Ze grinnikte er een tikje ondeugend bij, maar aan haar scherpe blik ontging niet veel, dat wist Metje intussen goed.

'Mijn moe moppert op de noordwestenwind,' antwoordde ze echter met een uitgestreken gezicht. 'De fabriek ruikt zoetig en wee. Veel dorpelingen hebben nu al en hekel aan die lucht, maar we zullen er voortaan alle jaren een paar maanden lang last van hebben. Moe heeft gisteren gewassen en met deze wind kan ze 's nachts geen rekken met wasgoed buiten laten staan.'

De juffrouw knikte begrijpend. 's Nachts werd er roet geblazen in de fabriek. Als de wind uit die hoek waaide, zag het hele dorp zwart, en dus zeker het wasgoed. Bovendien hadden veel mensen last van het lawaai van de bieten- en pulptrams, want die reden dag en nacht door. 'Dat is vervelend, maar zeg nu zelf, Metje, mannen die in de suiker werken zijn blij met de extra inkomsten die ze maandenlang hebben. Heus, ze zullen volgend jaar in de rij staan om terug te komen.'

Ze knikte. 'Dat denk ik ook wel, juffrouw Vogelaar.'

'Iets heel anders, Metje. De logeerpartij van de kinderen van mevrouw en mijnheer gaat door. Ik kan met Kerstmis niet naar mijn zuster,' liet de oudere vrouw op verdrietige toon weten. 'Maar mevrouw zou het wel goed vinden, als ik na de jaarwisseling een of twee daagjes wegga, en ze zegt het zelfs niet erg te vinden als jij haar op die dag stamppot voorzet.'

Metje knikte. 'Ik kan ook iets anders koken. Ik ben blij in de afgelopen maanden al zo veel van u geleerd te hebben.'

'Mooi zo, dat is toch een troost voor me, weet je dat? Mijn zus is me erg dierbaar. We kunnen elkaar maar weinig zien en onze familie is maar klein, zeker ook omdat de familiele-

74

den van mijn man allemaal zo vroeg zijn overleden. Je bent een goede hulp voor me geworden, Metje.'

Ze bloosde ervan, niet gewend als ze was een openlijk compliment te krijgen. 'Ik heb het hier naar mijn zin, juffrouw. Ik leer veel van u, waar ik de rest van mijn leven plezier van kan hebben, en bovendien neem ik regelmatig een boek mee om thuis te lezen.'

De oudere vrouw schudde het hoofd. 'Van dat laatste vraag ik me nog steeds af waar dat goed voor is, maar ja, je gaat je gang maar, als niemand eronder lijdt dat jij zo graag met je neus in de boeken zit. Gelukkig, je lacht alweer. Ik dacht echt even dat je misschien liefdesverdriet had.'

Ze schudde vastberaden het hoofd en stond op omdat de deurbel ging. Toen ze de gang door liep, was ze blij met die bel. Zodra ze echter de deur had geopend en in de grinnikende tronie van Meeuwis keek, verdween die opgekomen blijdschap weer op slag.

'Ik weet immers, dat jij open moet doen als de bel gaat. Hier, de post.'

'Die kan ook door de brievenbus.'

'Ik wilde jou gewoon graag zien. Dag, Metje. Tot de volgende keer!'

Nog steeds lachend liep hij weer door.

Ze moest drie keer slikken. Wat had ze een hekel aan hem gekregen!

Het gebeurde haar ook, een dag of drie later. Het was al veel vrouwen in het dorp gebeurd. Dan waren ze net niet op tijd opzij gestapt, ver genoeg van de tramrails af als er na een regenbui modder in de rails stond die omhoogspatte als de tram langsreed. Dan zat je dus onder de smurrie!

Metje keek met afschuw naar haar besmeurde zwarte rokken. En ja hoor, wiens grijnzende tronie ontwaarde ze even verderop?

Razendsnel keerde ze zich om en liep ze terug. Gelukkig volgde hij haar niet, en toen ze een paar minuten later voorzichtig om de hoek keek van de steeg waarin ze haar toevlucht had gezocht, was Meeuwis Tol gelukkig nergens meer te bekennen.

Al een week voor Kerstmis keek Metje haar ogen uit, toen Vogelaar een paar takken af moest zagen van een spar in de tuin, en die takken vervolgens in de kamer op moest hangen. Mevrouw had in de afgelopen dagen kunstige dingetjes in elkaar gevlochten, en had dat zo leuk gevonden dat er zelfs lichte blosjes van opwinding op haar wangen waren verschenen. Het was duidelijk dat ze zich op de komende kersttijd verheugde, misschien nog wel het meest omdat haar kinderen kwamen logeren. Morgen zouden haar dochter en schoonzoon al komen, en haar zoon en zijn inmiddels van de bevalling herstelde, maar nog steeds door het verlies aange- slagen schoondochter zouden een dag later komen en meteen de dag na Kerstmis weer vertrekken. Dat betekende niette- min veel extra drukte voor de huishoudster en de meid. De logeerkamers, één op de eerste verdieping net als de slaap- kamers van mijnheer en mevrouw, een tweede kleine kamer- tje voor het kleinkind dat met een kindermeisje zou komen en de derde logeerkamer op de zolder, waar de zoon en de schoondochter zouden slapen, moesten allemaal worden gelucht en schoongemaakt, er moest extra beddengoed op de logeerbedden, de lampetkannen op de kamers moesten wor- den gevuld, Vogelaar moest er de dag dat de gasten werden verwacht een vuur laten branden om de ergste kou uit de gewoonlijk onverwarmde kamers te verdrijven. Maar het groen rook lekker, stelde Metje vast toen ze na het ophangen ervan de salon binnenkwam.

Mevrouw verkeerde door dit alles in een opperbest humeur. 'Je kijkt ernaar alsof je het nooit eerder hebt ge- zien,' glimlachte ze minzaam.

'Dat heb ik ook niet, mevrouw. Wij hier in het dorp doen zoiets niet. Onze dominee zou zeggen dat het een heidens gebruik is, dat een christen niet past.'

'Ja, jullie dominees zijn erg streng, zegt men,' was de kalme reactie. 'Maar ik vind het mooi. Ik heb me weleens laten vertellen dat het groen van bomen die niet kaal worden in de winter, ook gezien kan worden als symbool van het eeuwige leven, en dat vond ik een mooie gedachte. Het gebruik zal misschien best een oorsprong hebben die met de geboorte van onze Heiland niets van doen heeft, maar met Zijn komst op aarde is er voor ons inderdaad een belofte gekomen voor eeuwig leven, dus wat mij betreft zie ik het als een mooi symbool, dat het huis er bovendien gezelliger op maakt. We laten een kerstboom uit Brabant komen, want hier zijn die niet te krijgen. Dat is natuurlijk erg duur, maar je zult zien hoe prachtig het is als we op kerstavond de kaarsjes in de boom aansteken.'

'Dat geloof ik best, mevrouw, maar is het niet gevaarlijk, een boom in brand te steken midden in de salon?'

Mevrouw lachte geamuseerd en dat gebeurde maar weinig, schoot het Metje door het hoofd. 'We steken de boom niet in brand. Mijn man plaatst de kaarsjes zorgvuldig in speciale houders, en voor alle zekerheid zetten we een emmer met water en een doek erin naast de boom, voor als er onverhoopt toch een vonkje af zou willen dwalen. Want je hebt natuurlijk gelijk, met vuur in huis kan een mens nooit voorzichtig genoeg omspringen.'

Toen Metje die avond thuiskwam, vertelde ze het verhaal van de brandende kaarsjes in de boom toen de familie aan de koffie zat. Maar moeder luisterde slechts half en haar vader zat er zwijgend en nors bij. 'Is er iets?' vroeg ze al snel verbaasd.

'Je broer Huib heeft omgang met een meisje dat onze goedkeuring niet weg kan dragen,' legde haar moeder met een grafstem uit, terwijl ze angstig naar haar man keek.

'Er is niets mis met Inge,' liet Huib echter onverstoorbaar weten. 'Alleen woont ze in de roomse huizen.'

Het hart van Metje leek wel bijna stil te staan. 'Je bedoelt dat ze katholiek is?'

'Zo is ze gedoopt, ja, maar zijzelf en ook haar ouders gaan heus niet elke zondag meer naar de kerk.'

'Dat is nog erger,' mompelde zijn moeder hoofdschuddend, terwijl ze nauwelijks opkeek van haar stopwerk, om de gaten te dichten in versleten sokken. 'Een mens zonder geloof heeft geen houvast in het leven.'

'Dat is uw mening, moeder. Inge is een lief en goed meisje en ik ben van plan om met haar verder te gaan.'

Vader verslikte zich bijna in zijn klodder pruimtabak. Zijn vuist belandde met een harde knal op de nogal wankele keukentafel. 'Niets ervan! Je ziet haar niet meer, hoor je? Ik ben hier de baas!' Vader was opgestaan, maar Huib ook. De twee mannen keken elkaar recht in de ogen. Metje zat als versteend op haar stoel. Dit gebeurde in andere huizen. Niet bij hen. Toch?

Vader was nooit agressief. Vader dronk wel graag een borreltje, maar nooit te veel.

'Denk om de buren,' liet moe nog horen, met vuurrood brandende wangen, en ze beet zenuwachtig op haar lip. Hilly beet op haar nagels, wat ze altijd deed als ze zich niet op haar gemak voelde. Metje durfde niets te zeggen, maar vanzelfsprekend moest ze aan Jan Huijbers denken en ze prees zichzelf aan de ene kant gelukkig dat ze een eind had gemaakt aan hun prille omgang, eigenlijk nog voor die goed en wel begonnen was. Ze kende Jan feitelijk nog niet goed. Maar tegelijkertijd voelde ze diep vanbinnen een zekere bewondering voor haar broer, omdat hij blijkbaar bereid was zich een hoop narigheid op de hals te halen omwille van een meisje dat hij had leren kennen. Als het echt wat zou worden, zouden de moeilijkheden niet alleen van vandaag of morgen zijn, maar zouden ze er de rest van hun leven op aangekeken worden om als protestant en katholiek samen te zijn.

'Ik heb Inge leren kennen als een warm, liefdevol en goed meisje. Ze heeft nooit iets gedaan dat tegen haar kan pleiten,' antwoordde Huib veel rustiger. Hij keek zijn vader strak aan, ontspande zich toen weer en ging daarna uiterlijk kalm weer zitten. 'Ik weet hoe u erover denkt, en ook hoe anderen erover zullen denken, vader. Maar ik ga Inge in de komende tijd beter leren kennen, en als het zo goed tussen ons blijft gaan als ik verwacht, trouw ik zelfs met haar.'

'Dan kun je heel lang wachten, hoor je? Want toestemming

zal ik van mijn levensdagen niet geven!' Er volgde een razende uitval die ongeveer tot aan het einde van de straat te horen moest zijn. Moeder maande haar man vergeefs tot stilte. 'Denk toch aan de buren! Morgen gaan we allemaal over de tong.'

'Bij iedereen is weleens wat aan de hand en als ze me al horen, kunnen ze toch niet verstaan wat ik zeg,' donderde de oudere man. Metje kon zien dat hij niet alleen boos was, maar vooral geschokt over het feit dat Huib van het in zijn ogen enig juiste rechte pad scheen te willen afwijken.

'Uit mijn ogen. Je bent mijn zoon niet meer,' brieste de oudere man toen hij voor het eerst van zijn leven bemerkte, dat een van zijn kinderen hem niet langer gehoorzaamde.

Hij had zijn kinderen zelden geslagen, al deden andere mannen dat nogal gemakkelijk om orde en tucht in hun gezin te handhaven. Maar Metje begreep dat hij er nu toe in staat zou zijn.

Huib stond echter met uiterlijke kalmte op, al zag ze wel rode vlekken in zijn hals. 'Ik ga een blokje om, moeder. Vader en ik verschillen van mening, maar ik ben inmiddels volwassen, doe geen slechte dingen, werk hard, en als het erom gaat een vrouw te kiezen met wie ik mijn leven wil delen, volg ik de stem van mijn hart. Ondanks de gevolgen! Bid maar om kracht, dat te aanvaarden, vader.' Hij liep het kleine huis uit, de donkere winternacht in. Hij vertelde niet waar hij heen ging, maar Metje dacht dat ze dat wel kon raden.

8

Ze kon niet slapen en was nog klaarwakker, toen ze rond een uur of tien de deur van het klompenhok open hoorde gaan. Blijkbaar wilde Huib op zijn sokken de trap op sluipen, om als gewoonlijk op zolder te gaan slapen. Ze gleed uit de bedstee, greep haar omslagdoek en even later stond ze in het klompenhok te fluisteren. 'Ik begrijp je wel, Huib.'

'Dat is dan mooi,' antwoordde de ander met een veel kalmere stem dan toen hij weggegaan was.

'Ben je bij haar geweest?'

'Ja.'

'Woont ze in de roomse huizen?'

'Ook dat. Waarom vraag je dat?'

'De portier van de suikerfabriek heeft toenadering tot mij gezocht, maar ik heb dat afgebroken, juist vanwege die kwestie van het geloof.'

'Hou je van hem?'

'Nee, dat kan ik beslist niet zeggen,' moest ze na enig nadenken eerlijk toegeven. 'We hebben slechts een paar maal met elkaar gesproken en bijna alle keren was er iemand die zich ermee bemoeide, en die me luid en duidelijk liet weten dat zoiets absoluut niet kon.' Er sloop een licht bittere klank in haar stem toen ze bijna tegen wil en dank aan Meeuwis Tol moest denken.

'Het is nu eenmaal niet anders, dat mensen star aan hun eigen standpunt vasthouden.' Eindelijk slaakte hij een diepe zucht. 'Maar ik ben er heel zeker van, en wat vader ook zegt of doet, ik ga met Inge verder.'

'Dan krijgen jullie het heel moeilijk en mocht je inderdaad met haar trouwen en jullie krijgen kinderen, dan worden ook die erop aangekeken.'

Hij knikte. 'Zo ver is het nog niet, maar Inge is wel degelijk een ontzettend lief meisje met wie ik graag het leven wil gaan delen. Waarom zijn de mensen zo star en allemaal zo overtuigd van hun gelijk, Metje?'

'Dat weet ik ook niet,' moest ze toegeven.

'Zodra het om het geloof gaat, zetten mensen hun hakken in het zand,' zuchtte haar broer, en ineens leek hij wel tien jaar ouder. 'Maar goed, dat doe ik zelf ook.' Zijn blik deed Metje verdriet. 'Om welke kerk het ook gaat, en hoe goed of respectabel mensen in hun verdere leven ook zijn, zodra het om het geloof gaat, vindt men de overtuiging van zichzelf beter en juister dan die van een ander. Daar zijn honderden jaren lang de meest bittere oorlogen over uitgevochten, en nog zijn de mensen er niet wijzer van geworden. Het zal misschien nog wel honderden jaren zo blijven!' De ogen van haar broer stonden somber.

'Hoe heb je haar eigenlijk leren kennen?'

'Kom even mee naar buiten. Vader zal mogelijk licht en onrustig slapen, na de schok die ik hier heb veroorzaakt. Ik kan nog niet slapen, maar jij bent misschien wel moe.'

'Nee, ik loop graag even met je mee.'

'Ik heb Inge leren kennen doordat ze op straat viel, en ik haar heb geholpen de appels die ze in haar mand had, op te rapen. Ze lachte zo mooi, zo lief. Ik was meteen verkocht, terwijl ik toch helemaal geen man ben die zijn hart op elke straathoek verliest, zodra er een paar mooie ogen of een wiegend achterwerk opduikt.'

Ze moest tegen wil en dank grinniken. 'Dat is waar. Het is dan ook jammer dat mensen zo blijven vastzitten in hun eigen kringetje. Zelfs als je met een meisje thuis was gekomen van een andere protestantse kerk, waren er grote moeilijkheden van gekomen, Huib.'

'Dat weet ik ook wel. Er komen van zoveel dingen grote moeilijkheden. Er wordt bijna van een mens verlangd te leven als een heilige.'

'Onze kerk kent geen heiligen.'

'Nee, en die van Inge wel, en bovendien nog beelden en allerlei poespas, zoals moe dat uitdrukte toen ze probeerde mij duidelijk te maken dat ik Inge echt moet laten gaan.'

'Wat zeggen ze bij haar thuis?'

Hij schokschouderde onwillig. 'Ze zijn er ook niet blij mee, maar het kan als ik katholiek word, zegt haar vader, en mijn kinderen in dat geloof wil opvoeden. Dat moet ik dan wel garanderen.'

'Zij kan ook naar onze kerk en jouw geloof overlopen.'

'Alleen dat woord overlopen al!' zuchtte hij. 'Natuurlijk zou dat kunnen, maar dat accepteert de pastoor dan weer niet.'

'Dus zijn ze daar precies zoals wij! Ons geloof is beter dan dat van een ander en daarom moet je naar onze kerk komen! Moet ik me schamen omdat ik dat verdrietig vind?'

'Het is nu eenmaal een feit, en wij kunnen daar nooit iets aan veranderen. Er zit dus niets anders op. We gaan nu sinds een maand of twee min of meer stiekem met elkaar om, en Inge heeft zelfs al voorgesteld dat ik haar desnoods maar zwanger moet maken als het allemaal te moeilijk wordt, zodat er wel getrouwd moet worden.'

'Nee!' reageerde Metje geschokt, want voor een meisje was ongehuwd zwanger worden zo ongeveer het ergste wat haar kon gebeuren. Ze had enkele malen meegemaakt dat in hun kerk een jong paar hun zonde moesten belijden ten overstaan van een hele volle kerk, en dat was afschuwelijk en vernederend geweest. En dan ging het nog om een jong stel, waarvan beiden lid waren van hun eigen kerk! Ze keek haar broer schuin aan. 'Als jullie dit doorzetten, krijgen jullie een zwaar leven, Huib. Misschien kun je niet langer werk krijgen. Veel boeren willen arbeiders van hun eigen kerk of in ieder geval toch verder van onbesproken gedrag.'

'Het is allemaal nog te pril voor vergaande beslissingen, maar als het tot een huwelijk komt, vertrekken we waarschijnlijk naar de stad. Dat heb ik in mijn hart al besloten. Ik kan daar altijd werk vinden, als timmerman zoals nu, of in de havens. Daar schijnen ze elke gezonde kerel te kunnen gebruiken. Armoe lijden kan een mens uiteindelijk overal, Metje. Mijn handen staan niet verkeerd, en in de stad kijken mensen toch minder nauw dan hier in het dorp. Zoals moe weleens zucht, als er weer nieuwe roddelverhalen rondgaan: 'O, wat een dorp!''

'Het is in andere dorpen niet anders.'

'Precies. Nu zijn Inge en ik dus binnenkort aan de beurt om over de tong te gaan bij alle kletskousen die het dorp rijk is.'

'Niet alleen bij hen, Huib.'

'Ik weet het. Maar nu genoeg over mij! Over wie heb jij het eigenlijk?'

Ze vertelde hem wat er de laatste weken was gebeurd, met Jan Huijbers en Meeuwis Tol. Het was vreemd, zo vertrouwelijk met haar broer te praten, want mensen als zij waren beslist niet gewoon om zomaar hun gevoelens te laten blijken aan een ander.

Hij glimlachte toen ze weer zweeg. 'Jammer dat het niet andersom is. Ik vind Meeuwis een fijne vent, die best goed bij jou zou passen.'

'Je bent niet lekker!' kwam het hartgrondig uit haar mond. 'Ik krijg slaap, Huib.'

Hij keerde meteen om. 'Ja, het is veel te laat geworden. We moeten gaan slapen, het is de hoogste tijd.'

In de dagen erna was haar broer teruggetrokken en gesloten. De sfeer in hun huisje bleef gespannen. Ze durfde zelf nergens meer over te beginnen, maar ze besefte dat er nog veel problemen zouden volgen en dat de kwestie mogelijk hun altijd zo veilige gezin voorgoed zou beschadigen.

Om al die roerige gedachten weer rustiger te krijgen, liep Metje de zaterdagmiddag daarop, voordat ze uit haar werk naar huis ging, naar de haven, daar de huizen langs, en ze klom de dijk op om uit te kijken over de rivier. Sinds de komst van de suikerfabriek werd de rivier drukker bevaren dan vroeger. In dit waterrijke land werd de meeste vracht over water vervoerd en er waren wel stoomslepers, maar het merendeel van de vracht werd als vanouds vervoerd met zeilklippers die nog van hout waren. IJzeren schepen, zoals de stoomboten die voor de verbindingen zorgden tussen eilanden en steden als Rotterdam en Dordrecht, waren in de minderheid. Aan de overkant van de inmiddels verbrede haven werden enkele kleine fabrieken en bedrijven opgestart. De nieuwe tijd die alles veranderde, was aan meer te merken dan alleen aan de komst van de suikerfabriek, besefte Metje. Er was een melkfabriek gekomen, en een houtzagerij op stoom. Sinds een paar jaar konden de mensen op het eiland zich verplaatsen met een stoomtram, die veel dorpen op het eiland aandeed. Sinds die was gekomen, was de vroegere diligence verdwenen en konden ook eenvoudige mensen naar de stad reizen. Niet dat ze daar zomaar het geld voor hadden, want verreweg het grootste deel van de bevolking leefde uiterst zuinig en was al blij als men 's avonds in de bedstee kon stappen zonder een rammelende maag te hebben.

Ze werd altijd rustig van water, mijmerde ze. Had ze er goed aan gedaan, om Jan duidelijk te maken dat er geen toekomst voor hen was? Daar was ze inmiddels wel van overtuigd. Zeer zeker, daar stond ze nog steeds achter. Kijk maar naar Huib, dacht ze vervolgens. Hij en Inge moesten wel heel erg zeker van elkaar zijn, als ze de vastgeroeste standpunten in het dorp naast zich neer wilden leggen om samen verder te gaan. Als dat gebeurde, was het zeker verstandig van Huib, naar de stad te vertrekken om daar te gaan werken. Daar woonden zo veel mensen dat niet iedereen elkaar kende en dat betekende toch dat een mens daar anoniemer leven kon. De opmerking dat hij vond dat Meeuwis wel bij haar zou passen, wekte nu zelfs lachkriebels in haar op. Ze stond uiteindelijk weer op omdat ze het koud kreeg en omdat ze wist dat moe ongerust zou worden als ze al te lang wegbleef. Ze slenterde over de kade, waar het zoals meestal gezellig druk was. Voor het grote pand waar tot voor een paar jaar het postkantoor was geweest, bleef ze even aarzelend staan. Het postkantoor was in het verleden bij hoog water herhaaldelijk ondergelopen, daarom was er inmiddels een ander postkantoor geopend in de Voorstraat. De haven lag achter de dijk, en door de open verbinding met de rivier liep het daar geregeld onder water. Dat kon ook een nadeel zijn voor de industrie die zich voorzichtig aan de overkant van de haven begon te vestigen. Er gingen zelfs stemmen op dat het verstandig zou zijn sluisdeuren aan te brengen tussen haven en rivier, zodat het water tegengehouden kon worden als het te hoog kwam te staan, maar zover was het nog lang niet. Als iets geld kostte, kon er eindeloos over gepraat worden in het gemeentehuis.

Metje haalde diep adem en liep snel weer door. Als ze aan post dacht, dacht ze onherroepelijk aan Meeuwis, en daar had ze vandaag al helemaal geen zin meer in.

De dochter van mijnheer en mevrouw De Beijer, ze heette Adèle hoorde Metje van juffrouw Vogelaar, kwam met haar man Koen Brouwer twee dagen voor Kerstmis aan. Het gaf een hele drukte, want ze hadden hun dochtertje van anderhalf jaar bij zich met het kindermeisje, dat Nelly heette. Blijkbaar had het een bedoeling dat ze die dag al kwamen, want op de laatste dag voor Kerstmis leidde mijnheer De Beijer zijn schoonzoon uitgebreid rond in de fabriek. Moeder en dochter hadden elkaar duidelijk onnoemelijk veel te vertellen. Metje keek verbaasd toe hoe mevrouw ervan genoot haar dochter en kleinkind weer te zien. Nelly keek ontevreden naar het kleine kamertje waar ze met het kind zou moeten slapen, vanzelfsprekend moest ze ervoor zorgen dat het kleine dreumesje geen overlast zou veroorzaken en bovendien bleek dat ze allerlei klusjes voor haar mevrouw moest doen. Het bleek al snel een nogal brutaal meisje te zijn, dat zich tegenover de familie bijna kruiperig gedroeg, maar hooghartig was tegen Metje, en ze had zelfs de verbeelding om juffrouw Vogelaar orders te geven.

De juffrouw was toch al aangeslagen omdat haar plannen om Kerstmis door te gaan brengen bij haar zuster onuitvoerbaar waren gebleken en zelfs de plannen om in de dagen na de kerst een dagje te gaan zodat ze elkaar weer eens konden zien, waren op het laatste moment afgeblazen, omdat de schoonzoon vond dat hij geen stamppot hoefde te eten die gekookt was door een meid die nauwelijks een aardappel kon schillen – zijn eigen woorden, de juffrouw had het zelf gehoord. Omdat zowel zijzelf als haar man ziek waren geweest en de juffrouw zich daar schuldig over voelde, had ze haar bezwaren en protesten voor zich gehouden. Ze keek alleen heel erg verdrietig uit haar ogen en dat vond Metje weer erg.

Het werd al snel duidelijk dat het noch voor de juffrouw, noch voor Vogelaar en zeker niet voor Metje, een rustige kerst zou worden. Terwijl de twee heren naar de fabriek waren, moest Vogelaar de kerstboom binnenbrengen. Metje keek haar ogen uit, een afgezaagde boom met een houten kruis eronder werd op een prominente plaats neergezet. De man moest er op bevel van mevrouw en haar dochter allerlei zaken in hangen, gevalletjes van stro die mevrouw had gemaakt, kransjes van koek en chocolade die speciaal bij de banketbakker waren besteld, klemmetjes waarin later rode kaarsjes werden geplaatst die blijkbaar speciaal hiervoor door de dochter uit Brabant waren meegebracht, en glimmende slingers. Boven in de boom moest hij een ster van stro vastmaken. Mooi was het, dat zeker, moest Metje in stilte toegeven. Haar vader vond het goddeloos toen ze er beschroomd thuis over vertelde, en zo dachten de meeste dorpelingen erover, want met Kerstmis herdachten ze immers dat Christus was geboren en dat had volgens hem niets met dergelijk uiterlijk vertoon te maken. Iets extra lekkers te eten, ja, dat wel, voor wie het kon betalen.

Er moest die avond bovendien uitgebreider worden gekookt dan op andere dagen, want na het diner zouden de kaarsjes worden aangestoken. Kerstavond was voor mijnheer en mevrouw het begin van het kerstfeest.

In de namiddag voor Kerstmis arriveerden de zoon en zijn stille vrouw, die nog niet over het verlies van haar doodgeboren kindje heen leek te zijn. Van haar man kreeg ze duidelijk niet veel steun, bromde juffrouw Vogelaar al binnen het halfuur. De drukte in huis was slopend voor de huishoudster en daarmee ook voor Metje, die hielp zoveel ze kon.

Het was al acht uur geworden en Metje en juffrouw Vogelaar waren nog niet eens klaar met de vaat. Zo veel serviesgoed was er gebruikt, dat ze tot twee keer toe schoon en warm sop moesten maken, toen ze in de salon werden geroepen, samen met Nelly. Ze moesten bij de deur blijven staan, maar mochten als een soort gunst, zo werd het hun duidelijk gemaakt, aanwezig zijn bij het grote moment. Vogelaar moest met lange lucifers uiterst voorzichtig het ene kaarsje na het andere aansteken.

Hij had dat duidelijk al vaker gedaan. Even later keek Metje sprakeloos van bewondering toe. Dit was werkelijk het mooiste wat ze ooit gezien had, besefte ze, en ze kon nog net voorkomen dat haar mond open zou zakken van verbazing. De gordijnen waren gesloten. Het was warm in de kamer. Met andere mensen zou het gezellig zijn geweest, dacht ze. Adèle keek hebberig toen ze een pakje kreeg overhandigd van haar vader. Er werd door mijnheer zelf een lied ingezet dat Metje niet kende, maar dat over Kerstmis ging. 'O dennenboom,' verstond ze. Idioot om een boom toe te zingen en wat daar stond was geen den, maar een spar! Ze moest haar hoofd schudden en in haar arm knijpen om te voelen of dit allemaal wel echt was. Tot haar verrassing kreeg ze van mevrouw een in pakpapier verpakte lap stof. Mevrouw glimlachte rustig en vriendelijk. 'Je hebt goed je best gedaan, Metje. Ik ben erg tevreden over je. Van deze stof kun je een nieuwe japon naaien, niet om hier te dienen, maar voor thuis.'

'Maar mevrouw,' bracht ze bijna sprakeloos uit.

'Met Kerstmis moeten we goed zijn voor andere mensen. Met onze pastoor hebben we ook extraatjes uitgedeeld aan de armen van onze kerk. Alsjeblieft.'

Verrast ging ze een halfuurtje later naar huis. Het was guur en regenachtig, er stond een kille wind die dwars door haar kleren leek te waaien. Ze was nog helemaal beduusd toen ze thuiskwam. Haar vader schudde verbijsterd zijn hoofd toen ze vertelde over wat ze die avond had gezien en gehoord. 'Paapse lichtzinnigheid,' was zijn commentaar, en aan de toon was te horen dat niemand het moest wagen om het niet met hem eens te zijn. Huib kneep zijn lippen samen, maar zei inderdaad niets. Zijn ouders waren nog steeds nauwelijks op de hoogte van hetgeen er zich afspeelde in het leven van hun middelste zoon. De geruchten over Huib en Inge deden nog niet de ronde in het dorp, en Metje vroeg zich af hoe dat kon, want in dorpen zoals dat van hen bleef immers zelden of nooit iets geheim.

Ze moest op eerste kerstdag al vroeg beginnen. Met veel moeite had mevrouw haar in de loop van de morgen een poosje vrijaf gegeven zodat ze met haar familie naar de kerk kon gaan, terwijl de familie De Beijer gezamenlijk naar de mis ging. Juffrouw Vogelaar moest thuisblijven om voor het middageten te zorgen. Nelly moest vanzelfsprekend op het kindje passen en deelde doorlopend orders uit aan de juffrouw, alsof ze zelf een verwende dame was, maar ze deed dat zo geraffineerd dat de hoger geplaatsten daar niets van merkten. Ze wilde zelfs dat de juffrouw de luiers, met poep en al, voor haar waste, maar dat weigerde de juffrouw resoluut. 'Dat is jouw taak, Nelly, niet de mijne. Bovendien heb ik andere dingen te doen, met zo veel gasten in huis.'

'Ik ben de kindermeid, geen wasvrouw,' was het hautaine antwoord.

'Wel, als jij het niet doet, blijven de luiers maar staan,' had de juffrouw rustig gereageerd.

'Dan moet Metje het maar doen.'

'Geen sprake van. Ik heb haar hulp veel te hard nodig, met zo veel mensen in huis die vandaag uitgebreid en lekker willen eten.'

'Ik zal mijn beklag doen bij mijn mevrouw.'

'Ga gerust je gang, ik zal het haar graag uitleggen,' was het kalme antwoord van de juffrouw.

Om halfnegen stond ze nog af te wassen. Metje was ontzettend moe na de lange dag waarop ze nauwelijks een moment rust had gekend en waarop ze, net als Vogelaar en de juffrouw, nauwelijks de tijd had gehad om zelf iets te eten. Toen het laatste stuk serviesgoed eindelijk was opgeborgen en het aanrecht weer schoon en droog was, slaakte de juffrouw een diepe zucht. 'Ik weet niet hoe ik dit vol moet houden,' zuchtte ze nogal aangeslagen. 'Ik voel nog steeds dat ik ziek ben geweest, want ik ben moe, aldoor moe, en vroeger had ik daar veel minder last van. Maar goed, de familie wil na de koffie nog wat lekkere hapjes hebben en die moeten we nog klaarmaken en uitserveren.' De juffrouw had bijna tranen in haar ogen, zag Metje geschrokken.

Eigenlijk had ze naar huis willen gaan, maar ze kon het niet over haar hart verkrijgen. 'Als we samen de hapjes in orde maken, dan ga ik die wel serveren en bijvullen als dat nodig is, juffrouw Vogelaar. Dan kunt u nu lekker in bed gaan liggen, want morgen is het opnieuw een lange en zware dag.'

De ander aarzelde slechts kort en knikte toen. 'Je bent werkelijk een heel lief kind,' verzuchtte ze, en tot de schrik van Metje kreeg ze toch een paar tranen in haar ogen. Ze wilde net naar boven gaan toen er op de keukendeur werd gerammeld en even later keek Metje bedremmeld in het ongeruste gezicht van haar jongste broer. 'Vader wil weten waar je blijft,' hakkelde Izak verlegen.

De juffrouw stelde hem gerust en legde het hem uit. Izak knikte aarzelend. 'Moet ik op je wachten, Metje? Of duurt het nog lang?'

'Zeg maar tegen vader dat ik over een uurtje thuiskom, en dat hij rustig naar bed kan gaan,' stelde ze haar broertje gerust. Gelukkig vertrok Izak weer, nu hij gerustgesteld was, en de juffrouw glimlachte dankbaar. 'Misschien had ik je met je broer mee moeten sturen,' aarzelde ze, 'maar ik ben zo verschrikkelijk moe geworden en morgen is het weer zo druk.'

'Gaat u maar naar boven,' knikte Metje medelijdend.

Niet veel later ging ze in de salon met een schaal rond. Ze merkte, en dat was eigenlijk al sinds gisteravond, dat de schoonzoon haar met zijn ogen volgde, en ze had daar een akelig gevoel bij. Sommige mannen leken vrouwen met hun ogen uit te kleden, en hij was er zo een. Naar zijn vrouw keek hij nauwelijks om, dat had Metje best wel in de gaten. Zijn jonge vrouw leek daar niet zo'n erg in te hebben, het was duidelijk dat ze erg hecht met haar moeder was.

Ze besloot de schaal bij te vullen en in de salon neer te zetten, zodat iedereen nog wat pakken kon als ze daar zin in hadden, en daarna eindelijk naar huis te gaan. Het was kwart voor tien toen ze de keuken wilde verlaten. Thuis zouden ze al lang en breed in de bedstee liggen en misschien was moe nog wakker omdat ze op Metje had liggen wachten. Hier leek nog niemand slaap te hebben, maar dat was uiteindelijk haar zaak niet.

Ze liep achterom, de steeg door en de dijk op. Toen ging de voordeur van het huis open en de schoonzoon van mijnheer nam haar in een sterke greep bij de arm.

9

Metje schrok enorm van hem en misschien nog het meest van de vreemde blik in zijn ogen, maar deed haar uiterste best om dat niet te laten blijken.

'Luister eens, meisje. Mijn vrouw en ik zijn helemaal niet over je te spreken,' begon hij op hoge toon waar niettemin een zekere dreiging in doorklonk. Een kille huivering kroop over haar rug.

Ze keek hem echter recht en fier in de ogen en probeerde de angst, die hevig in haar was opgelaaid, niet te laten blijken. 'Het is laat en ik ben moe, mijnheer Brouwer. Als u klachten heeft, kunt u dat volgens mij beter tegen mijnheer of mevrouw zeggen en dan zullen zij dat zeker met mij bespreken.'

Zijn ogen schitterden op een nare manier. Opnieuw kroop er een huivering over haar rug. Nu zou Jan Huijbers of zelfs Meeuwis Tol wel even op mogen duiken, flitste het nogal onlogisch door haar hoofd. Waarom had ze Izak weer naar huis gestuurd? Maar ja, nu was dat manvolk natuurlijk nergens te bekennen! Ze haalde daarom diep adem en probeerde zo onverschrokken mogelijk te kijken. 'Wilt u mij loslaten, mijnheer?'

Hij grinnikte, blijkbaar niet in het minst onder de indruk, gaf haar een ruk en ineens lag er een arm om haar schouder en werd ze tegen zijn lijf aan gedrukt. 'Je kunt het wel goedmaken, hoor. Ik weet precies hoe.'

Ze trapte in een impuls keihard op zijn tenen. 'O dat spijt me, mijnheer,' huichelde ze.

Hij vloekte binnensmonds, ze maakte een onverhoedse beweging en was weer vrij. Haar ademhaling joeg inmiddels door haar borst, maar toen ze de uitdrukking in zijn ogen zag veranderen, werd ze pas echt bang. Meteen zette ze het op een lopen. Die vadsige, te dikke kerel kon vast niet zo hard lopen als zij en bovendien kende zij hier alle stegen en sloppen, waar hij snel de weg kwijt zou raken, zeker omdat het zo donker was.

Hijgend en met een hoogrode kleur kwam ze een paar minuten later het klompenhok binnen. Alles was donker in huis. Iedereen sliep. Wat moest ze nu doen? Ze leunde even tegen de muur tot het hijgen weer bedaarde, want als moeder dat hoorde, zou ze tot op de bodem uit willen zoeken wat er was gebeurd, en ze wist niet of ze dat wel durfde te vertellen. Ze had natuurlijk nauwelijks ervaring met hoe mannen reageerden, maar ze was toch niet zo dom dat ze niet besefte wat de jonge mijnheer had bedoeld. Ze schudde vertwijfeld haar hoofd. Toen ze een beetje tot zichzelf gekomen was, sloop ze de trap op, alles in het donker, maar haar ogen wenden daaraan, dat was ze gewend. Even later schudde ze Huib wakker. 'Wat is er?' mompelde haar broer slaperig.

'Ik moet met je praten. Kom alsjeblieft even mee naar het klompenhok.' Ze wachtte niet om te kijken of hij reageerde. Ze sloop terug en gelukkig kwam hij even later naar haar toe. 'Wat is er aan de hand, Metje?'

Met horten en stoten vertelde ze dat de jonge mijnheer zo akelig naar haar had gekeken en wat hij vanavond had gezegd en gedaan. 'Ik ben bang geworden, Huib. Als ik het mijnheer De Beijer al zou durven vertellen, gelooft hij mij toch niet. En verder ben ik daar alleen op mezelf aangewezen. Een man als de jonge mijnheer accepteert geen afwijzing van een dienstbode, dat voel ik wel op mijn klompen aan! Denk je dat ik het vader moet vertellen?'

Huib moest blijkbaar even nadenken. 'Wat kan vader doen? Hij kan niet riskeren niet geloofd te worden door de directeur, die zeker de reputatie van zijn dochter zal willen beschermen. Het gevolg zou kunnen zijn dat vader met de volgende campagne mogelijk niet meer in de fabriek mag werken.'

'Dat begrijp ik,' zuchtte ze. 'Ik ben echt bang, Huib.'

'Je kunt natuurlijk doen of je ziek bent en pas weer gaan werken als de gasten weer zijn vertrokken.'

'Dan word ik ontslagen,' vreesde ze. 'Dat is geen oplossing, Huib, want als de gasten weer weg zijn, heb ik het daar goed naar mijn zin. Bovendien, dan nog weet een man als mijnheer Brouwer wel lelijke dingen over me te zeggen, als dat hem van pas komt.'

'Jij ook over hem, en dat is dan gegrond.'

'Ja, maar hij is familie en ik ben slechts een eenvoudige meid van dertien in een dozijn en dus maar al te gemakkelijk te vervangen door een ander.'

'De rotzak,' siste haar broer tussen zijn tanden. 'Weet je wat je volgens mij nog het beste kunt doen?'

'Nee.' Ze schudde haar hoofd en voelde dat er tranen in haar ogen sprongen.

'Vertel het de juffrouw en haar man, als niemand anders het horen kan. Vraag of Vogelaar een beetje op je wil letten, zodat het heerschap geen kans meer krijgt zich binnen of buiten met jou af te zonderen. Als dat wordt voorkomen, kan er verder niets gebeuren.'

'Behalve kwaadsprekerij. Dit loopt nooit goed af.'

'Tegen kwaadsprekerij kan een mens inderdaad niet veel beginnen, maar dat moet je maar voor lief nemen. Het enige weerwoord dat je hebt, is je werk zo goed mogelijk doen, en vraag Vogelaar of hij je voortaan een stukje weg wil brengen als je klaar bent met werken. Als ik wist hoe laat dat was, kwam ik je zelf ophalen. Wordt het morgen weer zo laat?'

'Ik denk van wel. De familie lijkt er niet aan te denken dat wij op die dagen van 's morgens vroeg tot 's avonds laat in touw zijn zonder veel rust te hebben. De juffrouw is nog niet helemaal aangesterkt, ik kan haar niet voor alles op laten draaien.'

'Wel, voor alle zekerheid kom ik je morgenavond om negen uur halen. Vanavond werd het later, maar dan wacht ik wel in de keuken op je, als dat goedgevonden wordt, of anders op straat.'

'Achterom kun je eventueel in de tuin wachten, als de juffrouw je niet binnen wil hebben.'

Hij haalde nuchter zijn schouders op. 'Als ze dat niet wil, zal ik het haar zelf nog weleens uitleggen waarom dat nodig is. Pas gewoon goed op, Metje. Zorg ervoor dat je zo min mogelijk ergens alleen bent.'

Ze knikte. 'Dat had ik zelf ook al bedacht. Maar het Vogelaar vertellen, dat is wel een goed idee. Dank je, Huib. Hoe gaat het nu met Inge en jou?'

'Ik haat stiekem gedoe, dat staat voorop, maar momenteel kan het niet anders. We mogen elkaar bij een getrouwde zus zien en ik doe net of ik ergens anders ben. Cees weet ervan af, maar wil ons niet in zijn huis hebben om niet zelf in de problemen te komen met vader, zo kort voor de geboorte van hun kind. Inge en ik gaan na de bevalling wel een keer samen bij hem en Antje op bezoek, om kennis te maken. Ik wil geen ondoordachte dingen doen. Mijn gevoel zegt dat Inge het is en dat dit zo zal blijven. Maar ik ben tegelijkertijd een nuchtere kerel, die met Inge heeft overlegd en heeft gezegd dat we ook met ons hoofd tot zekerheid moeten komen. Als we samen verdergaan, betekent het dat we hier weg moeten en onze familie nog maar weinig zullen zien. Ik heb dat er graag voor over, maar zij hangt erg aan hun gezin. Dat is groot, liefdevol en warm. Ik kom er graag. Haar ouders hadden het ook liever anders gezien, maar ze zijn niet zo streng als vader en doen hun best het te accepteren.'

'Ben je bang voor vader?'

'Bang is niet het juiste woord, maar ik weet hoe gevoelig een kwestie als deze ligt. Het is heel akelig zo stiekem te moeten doen als dat in het geheel niet bij je karakter past, maar ik denk dat het niet anders kan.'

'Als ik in de toekomst getrouwd ben en een eigen huis heb, kunnen jullie altijd bij mij op bezoek komen en logeren,' beloofde ze grif in haar opluchting, omdat ze haar broer wilde helpen.

Hij grinnikte. 'De kwestie kan de familie maar al te gemakkelijk splijten, lieve kind.' Hij geeuwde hartgrondig. 'Ik ga weer naar bed. Voor jou is het ook de hoogste tijd.'

'Ik geloof dat ik te moe ben om te kunnen slapen,' dacht ze.

'Probeer het toch maar, want morgen is het weer vroeg dag.' Hij stommelde zo geruisloos mogelijk naar boven. Zij hing haar kleren over een keukenstoel en kroop de bedstee in. Hilly sliep gelukkig als een roosje.

De volgende morgen ging ze met een zwaar hoofd door een veel te korte nachtrust en met lood in haar schoenen naar het huis waar ze werkte. Het was kwart voor zeven in de ochtend toen ze door het stille dorp naar het huis van de familie De Beijer liep. De meeste mensen sliepen nog, deze tweede kerstdag. Ze zag erg tegen de lange en zware dag op, maar ze was wel blij dat ze een goed gesprek met Huib had gehad. Het had haar opgelucht en zijn advies om het met juffrouw Vogelaar en haar man te vertellen, leek haar verstandig. Of het helpen zou, was natuurlijk vers twee. Ze zou de hele dag goed op moeten letten en dat was nog eens extra vermoeiend. Met een zucht stapte ze even later de keuken in.

De juffrouw had al koffie klaar. 'Fijn dat je er bent. Ik ben nog moe van gisteren,' verzuchtte ze. 'Hier, ik heb een boterham met roomboter voor je gesmeerd en er een dikke plak kaas op gedaan. Je hebt het meer dan verdiend. De familie staat er niet bij stil dat het ook voor ons Kerstmis zou moeten zijn.' Er klonk en bittere ondertoon in haar stem door, die Metje nooit eerder had gehoord.

'Dat is fijn,' knikte ze. 'Ik zie ook best tegen de dag op,' begon ze en ze liet zich zwijgend een kop koffie inschenken. Net op dat moment stak Vogelaar zijn hoofd om de keukendeur. Hij was net de kolenkit wezen vullen. 'Gaat het, Beppie?' Zijn ogen stonden bezorgd. Het was voor het eerst dat Metje hoorde dat juffrouw Vogelaar Beppie heette.

'Het moet,' werd er gelaten gereageerd.

'Vogelaar, komt u er alstublieft even bij zitten?' besloot Metje impulsief het ijzer te smeden nu het heet was. 'Ik wil u iets vragen.'

'Mij?'

Ze knikte en hij ging zitten. De juffrouw schonk nog twee koppen koffie in. 'Ik was al bang dat je ons ging vertellen dat je een vrijer had en komend voorjaar ging trouwen.'

'Verre van dat,' kon ze naar eer en geweten antwoorden. 'Het gaat om iets heel anders.' Met horten en stoten vertelde ze hoe ze de vorige avond geschrokken was van de jonge mijnheer, en blozend voegde ze eraan toe dat het voorval haar bang had gemaakt en dat ze niet wist wat ze moest doen om van zijn verdere aandacht verschoond te blijven. Ze zag hoe de juffrouw haar wenkbrauwen fronste en Vogelaar leek er geen weg mee te weten, maar ze zag ook hoe het tweetal snel een blik van verstandhouding wisselde, en dat maakte haar opnieuw zenuwachtig en vooral ongerust. Dus haalde ze diep adem om dat gevoel weer wat te laten zakken. 'Ik zal er alles aan doen om te voorkomen dat ik alleen met de jonge mijnheer in een kamer terechtkom,' vervolgde ze nogal ongemakkelijk. 'Maar ik kan er niets over tegen mijnheer zelf zeggen, want mijnheer Brouwer dreigt lelijke dingen over me te gaan vertellen aan mijnheer en mevrouw De Beijer.'

De juffrouw keek weg, maar Vogelaar schraapte bezorgd zijn keel. Ten slotte slaakte de juffrouw een zucht. 'Niet weer!' mompelde ze en ze keek haar man strak aan.

Nu was het zijn beurt om wat te zeggen, begreep Metje. 'De jongeman heeft al eerder problemen met een meid gehad. Hij beweerde vanzelfsprekend dat het allemaal aan haar lag, dat het meisje zich aan hem opdrong, en zijn vrouw geloofde dat meteen. Als mijnheer De Beijer al twijfels heeft gehad, heeft hij daar in ieder geval niets van laten blijken.'

'Ik kan niet anders dan heel voorzichtig zijn,' gaf Metje toe, 'maar ik heb het mijn broer Huib verteld en hij raadde me aan om u ervan op de hoogte te brengen, omdat u dan misschien een oogje in het zeil wilt houden.' Ze keek Vogelaar bijna smekend aan.

De oudere man knikte meteen. 'Wij zullen ons best doen, dat beloven we, maar mannen die ergens op uit zijn, zijn er doorgaans heel handig in om anderen daarbuiten te houden.'

Ze knikte. 'Dat ben ik mij bewust. Ik zal erg opgelucht zijn als het gezin weer vertrokken is. Nelly is ook niet bepaald aardig te noemen.'

De juffrouw schraapte haar keel. 'Wat heet! Ze wil zich het liefst laten bedienen alsof ze mevrouw zelf is! Nu, in geen honderd jaar! Ik ben het hartgrondig met je eens, Metje. Het zal fijn zijn als de gasten weer vertrokken zijn en alles weer gewoon wordt. De zoon en schoondochter vertrekken morgen al, maar de dochter en haar vermaledijde losbandige echtgenoot lijken geen haast te hebben en tot na de jaarwisseling te willen blijven. Ik zie er ook tegen op. Bovendien hoop ik, als ze eindelijk weg zijn gegaan, alsnog mijn zuster een bezoekje te kunnen brengen. Met de tram over de Barendrechtse brug naar Rotterdam, dat is toch een heel stuk dichterbij dan vroeger helemaal uit Brabant. Als mevrouw zich maar niet bedacht heeft.'

'Wij werken zeven dagen in de week,' schudde haar man zijn hoofd. 'Van 's morgens vroeg tot in de avond. Dat houdt niemand vol.'

'We moeten wel. Als we ons werk kwijtraken, staan we ook nog eens op straat. Waar zouden we naartoe moeten?'

'Als het ooit zover mocht komen, gaan we naar je zus en zoeken we een huisje bij haar in de buurt,' reageerde hij nuchter.

'Ja, dat zou mooi zijn, maar waar moeten we dan van leven? Rijke mensen kunnen gaan rentenieren als ze oud zijn geworden en niet meer kunnen werken, maar arme sloebers zoals wij moeten blijven werken tot we erbij neervallen, of anders komen we in de armenzorg terecht, en dat is wel het laatste dat ik wil.'

'We verzinnen er wel wat op als het zover komt. We zijn allebei midden vijftig. Dit zware werk kunnen we niet nog eens tien of zelfs vijftien jaar volhouden, dat weet ik ook wel,' mompelde hij. Zijn ogen kregen een aangeslagen uitdrukking, hij keek verdrietig, en zelfs, dacht Metje, een beetje bang voor die onzekere toekomst.

Die dag vroeg Metje zich meermalen af of de jonge mevrouw Adèle wel wist dat haar man een minder gezonde belangstelling had voor andere vrouwen, en dan vooral voor jonge vrouwen die het zich eigenlijk niet konden permitteren om zich tegen zijn avances te verdedigen. Natuurlijk, hij was de enige niet. Er waren er genoeg zoals hij, die hun machtspositie misbruikten. Er was zelfs een welgestelde boer in de omgeving van wie gezegd werd dat die eiste dat zijn knechten hem zelfs hun vrouwen ter beschikking stelden als hij daar behoefte aan had, maar of dat ook gebeurde, of dat het slechts een gerucht was, dat wist Metje niet. Erg genoeg was, dat er mannen waren die er misbruik van maakten als een vrouw in een netelige situatie verkeerde, en een heel enkele keer waren diezelfde mannen tegelijkertijd ouderling of diaken in de kerk. Ze begreep alleen maar dat mannen zich minder aan de moraal hoefden te storen naarmate ze welgestelder en machtiger waren, en ze vond dat een groot onrecht.

Ze was die hele dag doorlopend op haar hoede. Ze merkte best, zo tegen de avond, dat Koen Brouwer probeerde haar te spreken te krijgen, maar omdat ze zo goed oppaste, lukte het haar te voorkomen dat hij haar ergens alleen kon treffen. Eenmaal kreeg ze opdracht om zijn koffie op de logeerkamer te brengen, terwijl zijn vrouw beneden bij haar moeder zat, maar toen ging juffrouw Vogelaar zelf naar boven. Toen hij daar een opmerking over maakte, deed die net alsof ze er niets van begreep. Hij had immers zijn koffie gekregen, en daar had hij toch om gevraagd?

Metje was erg blij toen Huib al om kwart voor negen de keuken van het deftige huis binnenstapte. Ze stelde hem aan de juffrouw voor, die inmiddels grauw van vermoeidheid zag. Vogelaar zelf was al naar boven gegaan. De juffrouw vertelde Huib dat ze blij was dat Metje een broer had die zo goed op haar paste.

'Gaat u maar naar bed,' knikte de meid vriendelijk.

De juffrouw was nog niet boven of mijnheer Koen stapte met zijn lege kopje de keuken in. Verbluft bleef hij staan toen hij zag dat Metje niet alleen was. 'Wie is dat? Brutale meid, om vreemden in huis te laten. Als er morgen iets gestolen is, weten we meteen hoe dat komt!' Aan zijn stem was te horen dat hij niet zou schromen om zelf iets te verdonkeremanen, zodat zij daarvan de schuld kon krijgen, besefte Metje terwijl haar hart in een ijzige greep gehouden werd.

'Mijn werk zit erop. Mijn broer wil liever niet dat ik zo laat nog alleen over straat loop, mijnheer. Een mens weet uiteindelijk nooit welk gespuis zich daar nog ophoudt.' Haar stem klonk rustig, maar vanbinnen voelde ze zich dat allesbehalve. Ze zag zijn ogen boos opvlammen en wist dat hij laaiend was. Dat beloofde nog wat, dacht ze angstig. Voor vanavond was ze veilig, maar deze akelige man zou nog dagenlang logeren in het huis waar ze werkte, en hoe zou ze kunnen voorkomen dat hij zijn zin kreeg? Niet, vreesde ze.

Toen ze even later naast Huib door de donkere straten liep, uitte ze haar bange voorgevoelens.

'Heb je het de anderen verteld?' vroeg hij.

Ze knikte stom. 'Volgens Vogelaar heeft een soortgelijke situatie zich al eerder voorgedaan, en ook toen kreeg de meid er de schuld van. Als ik het mijnheer De Beijer zou vertellen, gelooft hij vanzelfsprekend zijn schoonzoon. Mevrouw zou me nog minder geloven. Ik ben bang, Huib.'

'De Beijer is misschien rechtvaardiger dan je denkt. Hij heeft een goede reputatie, op de fabriek. Hij jaagt de arbeiders niet onnodig op.'

'De campagne is voorbij.'

Huib knikte. De fabriek had de arbeiders naar huis gestuurd die tijdens de campagne een goed loon hadden verdiend, en wie voldeed, mocht in september terugkomen voor de nieuwe campagne. Hun vader was een van hen. Ze kon haar vader daarom onmogelijk over haar problemen vertellen.

Die avond viel Metje als een blok in slaap zodra ze in de bedstee lag, zo moe was ze. De volgende morgen stond ze echter aangeslagen op. Kerstmis was nu voorbij, maar de gasten waren er nog. De jonge mijnheer De Beijer zou vandaag weer met zijn vrouw teruggaan naar Brabant, maar mijnheer Brouwer zou blijven. Er hoefde nu echter niet meer zo uitgebreid gekookt te worden als de afgelopen dagen het geval was geweest en Metje hoopte dat de juffrouw wat broodnodige rust zou krijgen, want eigenlijk was het onmenselijk, zo hard als ze hadden moeten werken. Altijd maar klaarstaan als de familie hen nodig dacht te hebben. Metje leerde deze dagen een les waar ze nooit eerder bij stil had gestaan, maar als je bij je baas in huis woonde, zoals de Vogelaars, had je nooit echt vrij. Want als er iets nodig was, deden ze maar al te gemakkelijk toch een beroep op je. Ze zou nooit in huis gaan wonen bij welke werkgever dan ook, besloot ze daarom.

Wilde ze dat dan? Wilde ze dan toch niet trouwen en een gezin van zichzelf krijgen? Natuurlijk wel, ze had er de leeftijd voor, en meer dan dat. Maar met wie?

Er was immers niemand. Niet geweest ook. Jan Huijbers had wel belangstelling voor haar getoond, maar dat had ze welbewust afgehouden vanwege het geloof, en ze hield niet van hem. Ze zag immers aan Huib en Inge waar liefde toe in staat was, als die diep en echt was. Vader zou het nooit accepteren als Huib inderdaad met Inge verderging en ze durfde er zelfs niet aan te denken wat dit in de toekomst mogelijk nog met hun gezin zou doen, maar ze was er inmiddels wel van overtuigd dat haar broer zijn eigen gang zou gaan. Stel dat hij verhuisde naar de stad, dan zou ze hem bijna nooit meer zien, en dat was toch een heel akelige gedachte.

Het echtpaar Vogelaar en ook Metje, het personeel van de familie De Beijer, werd steeds stiller, en het leek mijnheer en mevrouw zelf niet op te vallen. De ene dag reeg zich aaneen tot de volgende, Metje liep aldoor op haar tenen, figuurlijk dan. Op oudejaarsavond leek de familie het opnieuw vanzelfsprekend te vinden dat het personeel in touw bleef om hen te voorzien van alles waar ze maar behoefte aan mochten krijgen. Maar de juffrouw kon niet meer en dus hakte Metje de knoop door. 'Ik zorg verder wel voor alles,' zei ze halverwege de avond toen de juffrouw zo wit als een doek zag en aldoor eau de cologne op haar zakdoek deed om eraan te snuiven en er haar voorhoofd mee te betten. 'Ik ga mijn broer vragen om hier op te komen passen, want mijnheer Koen heeft al flink gedronken, en is mogelijk tot alles in staat. Ik ben over een kwartier terug, juffrouw Vogelaar. Daarna gaat u naar bed en zorg ik voor alles.'

De juffrouw was daar zo hard aan toe dat ze niet eens protesteerde, en dat zei Metje nog meer hoe moe de juffrouw inmiddels was door het zorgen voor al die mensen, zonder dat daar extra personeel voor was meegekomen. Nelly deed niets. Ja, voor het kind en haar mevrouw zorgen, en de mensen die boven haar stonden naar de mond praten, maar voor het andere personeel was ze alleen maar een extra belasting die doorlopend akelige opmerkingen in hun richting maakte. Verontwaardigd had de meid uiteindelijk zelf het goed en de luiers van het kleinkind gewassen en sindsdien vitte ze de hele dag door op de juffrouw en Metje.

Metje rende door de donkere straten. Het rook naar oliebollen. De juffrouw had ze ook moeten bakken, dat sprak. Even later stapte ze hijgend hun huisje binnen. Het was halfacht. Huib zat met een gezicht als een donderwolk aan tafel. Moe glimlachte blij. 'Je bent eindelijk weer een keertje op tijd thuis. Dat is fijn, meisje. Op oudejaarsavond wil ik het gezin graag bij elkaar hebben. Cees en Antje komen zo ook.'

'Ik moet weer gaan,' hijgde Metje. 'Misschien moet ik wel tot na middernacht de familie bedienen.'

'Kan de huishoudster dat niet?'

'Ze is helemaal op, moeder. Huib, ik zou je willen vragen om met me mee te komen. Je weet wel waarom.'

De jongeman knikte en zijn gezicht klaarde op. 'Natuurlijk pas ik op je.'

'Waarom is dat nodig?' wilde vader natuurlijk weten.

Het was haar broer die antwoord gaf en vertelde dat mijnheer Brouwer zo nu en dan gelegenheid zocht om zijn zus lastig te vallen, en dat hij op haar ging passen om te voorkomen dat dat nog eens gebeurde.

Vader keek ongerust van de een naar de ander. 'Daar moet je me morgen maar eens meer uitleg van geven, Metje.' Het klonk eerder ongerust dan dreigend.

'Ja vader. Maar nu moet ik weer gaan.'

Eenmaal buiten keek ze Huib aan. 'Als je dat wilt, kun je Inge op gaan halen. Misschien wil ze erbij zitten?'

Huibs gezicht klaarde nog verder op. 'Ik wilde de avond graag met haar doorbrengen, maar vader vond het niet goed dat ik wegging.'

Ze zuchtte diep. 'Je kunt er niet lang meer omheen thuis eerlijk te zeggen dat je Inge niet loslaat, Huib. Vader en moeder zullen zo langzamerhand best aanvoelen dat je ermee doorgaat. Jullie hebben het geluk dat er nog niet over gekletst wordt.'

'Je weet dan ook niet hoe voorzichtig we zijn geweest.' De juffrouw ging naar boven. Metje werd geroepen om nog wat oliebollen naar de salon te brengen. Toen ze terugkwam, zat Huib in de keuken en keek een donkerharig meisje haar verlegen aan. 'Bedankt dat ik mee mocht komen,' fluisterde Inge Timmers bedeesd, nadat de twee jonge vrouwen elkaar de hand hadden geschud.

'Huib heeft me alles verteld, ook dat het serieus is tussen jullie,'glimlachte Metje.

'We gaan samen verder,' meldde Huib en ditmaal stonden zijn ogen rustig en zeker. 'Wat er ook van komt! Ik hoop dat vader uiteindelijk toch zijn toestemming voor een huwelijk geeft, zodat we hier kunnen blijven. Maar anders gaan we naar de stad.'

'Ik zou er maar niet op rekenen,' dacht Metje voorzichtig. Net op dat moment keek mijnheer De Beijer om de deur van de keuken, een terrein waar hij anders nooit kwam. 'Wie zijn dat?' vroeg hij verbaasd.

10

Ze schrok hevig, maar wist dat blijkbaar goed te verbergen. 'Juffrouw Vogelaar is ziek geworden van vermoeidheid, mijnheer, en is gaan slapen. Dit is mijn broer Huib en zijn verkering. Huib haalt me wel vaker op als ik pas laat naar huis kan gaan, omdat hij niet wil dat ik zo laat alleen over straat ga.'

'O, dus de juffrouw is gaan slapen en jij gaat naar huis? Hoe moet dat dan met ons?' wilde hij zelfzuchtig weten.

'Als u wilt dat ik blijf, wil mijn broer hier wel een poosje op mij wachten. Als u het tenminste goed vindt dat hij en zijn meisje hier zitten.'

'Nu ja, ik kan moeilijk zelf hapjes klaar gaan maken,' dacht hij. 'En mijn vrouw en dochter zijn daar ook niet handig in. Waar is de kindermeid?'

'Boven bij uw kleindochter, mijnheer. Ze helpt nooit in de keuken en van mij hoeft dat ook niet.'

'De juffrouw had op moeten blijven,' meende hij.

'De juffrouw heeft al meer dan een week elke dag van 's morgens vroeg tot 's avonds laat gewerkt, mijnheer. Het is haar te veel geworden. Niet voor niets leert de Bijbel ons, dat de zondag een rustdag moet zijn.'

'Zo zo, en een rustdag heeft juffrouw Vogelaar niet gehad, omdat ze voor ons moest zorgen?' Ineens kwam er een zweem van een glimlach om zijn mond. 'Ze heeft een goed pleitbezorger gevonden in onze leergierige Metje!'

'Als u iets voor haar terug wilt doen, zou u haar een paar dagen vrijaf kunnen geven als u weer samen met mevrouw bent, zodat de juffrouw haar zuster in Rotterdam op kan gaan zoeken. Daar kan ze dan meteen een beetje uitrusten,' glimlachte ze terug en tegelijkertijd kreeg ze een kleur als vuur omdat ze zichzelf toch wel erg brutaal vond.

'Ik zal er mijn vrouw op attent maken, dat jij zo met haar begaan bent. Jullie hebben met de kerstdagen en ook daarna inderdaad hard gewerkt, Metje. Ook jij bent met Kerstmis niet vrij geweest, en nu op oudejaarsavond evenmin. Blijf jij morgen dus maar lekker thuis om iedereen Nieuwjaar te gaan wensen.'

'En de juffrouw dan? Ik kom haar liever helpen, mijnheer, met alle drukte in huis. Maar misschien mag ik komende zaterdag een keertje een hele vrije dag hebben, in plaats van een halve zoals gewoonlijk?'

Mijnheer moest in een opperbeste stemming verkeren, want hij grinnikte slechts welwillend en dat vatte ze dan maar op als een goedkeuring.

Het was al halftwaalf eer ze van mevrouw toestemming kreeg om te vertrekken, zodat ze nog net thuis Nieuwjaar kon vieren. Mevrouw was zich er kennelijk niet van bewust dat hardwerkende mensen het doorgaans wat te veel van het goede vonden om een halve nacht op te blijven zitten, alleen om naar de klok te kijken!

Ze brachten eerst Inge terug. Daarna liep ze met Huib door de nacht, het enige levende wezen dat ze zagen was de veldwachter, die met deze nacht beducht was op mogelijk een opstootje van dronken jongelui, die met elkaar de bloemetjes buiten zetten.

De volgende morgen sliep Metje zo vast dat ze het gebruikelijke gerommel in de keuken niet hoorde, hoewel iedereen vrij was op deze Nieuwjaarsdag en zij dat volgens moe ook had moeten zijn. Toen ze wakker schrok, was het al halfnegen geweest. Met ontzetting keek ze naar de gammele keukenklok. 'Is die stuk, moe?'

'Nee, kind, maar je hebt nauwelijks vrij gehad in de afgelopen week! Je zag er gistermorgen al uit als een spook, en uiteindelijk is Nieuwjaarsdag ook een zondag. We gaan straks als altijd naar de kerk.'

'Maar ik moet werken.'

'Ze mogen je wel flink extra betalen.' Moe schudde vertwijfeld het hoofd. Metje zei niets, waste zich bliksemsnel, schoot in haar kleren, nam even de tijd om haar haren te kammen en de knot opnieuw op te steken, zodat ze er netjes en verzorgd uitzag. Ze moest toegeven, de lange nachtrust had haar goedgedaan.

De juffrouw had een zenuwachtig trekje om haar lippen toen Metje uiteindelijk pas ruim na negen uur de keuken binnenstapte. 'Ik was al bang dat je ziek geworden was.'

'Mijn moeder heeft me uit laten slapen, want ik werd van niets en niemand wakker,' verontschuldigde ze zich. 'Ik ben meteen gekomen en heb niet eens tijd gehad om te eten.'

'Smeer dan eerst een boterham voor jezelf. De familie slaapt ook uit, dat scheelt. Alleen mijnheer Koen kwam informeren of jij hem koffie kon brengen en dat heb ik dus net gedaan. Hoe laat ben je gisteravond naar huis gegaan, Metje?'

'Pas om halftwaalf,' gaf ze toe.

'Dan heb je het meer dan verdiend. En uiteindelijk is het Nieuwjaarsdag.'

'Ik heb u nog niet eens het beste gewenst voor het komende jaar,' verontschuldigde ze zich en ze wisselden alsnog nieuwjaarswensen uit.

Bijna alle dorpelingen zaten die morgen in de kerk, maar Metje moest met de juffrouw thuisblijven om voor een uitgebreide koffietafel te zorgen. Het werd opnieuw een lange, drukke dag, maar de huishoudster was heel wat beter gestemd dan de afgelopen dagen, want hun werd verteld dat Adèle en haar gezin de volgende morgen weer zouden vertrekken, 'helaas' volgens mevrouw, maar daar dachten de juffrouw en Metje vanzelfsprekend heel anders over.

Opgelucht keken ze de volgende morgen na koffietijd toe hoe Vogelaar en mijnheer het jonge echtpaar met kleindochter en kindermeisje Nelly wegbrachten naar de halte van de stoomtram. Mevrouw plengde vele tranen, ze kon blijkbaar slecht zonder haar dochter.

'Ik ben er zonder kleerscheuren afgekomen,' stelde Metje opgelucht vast, toen ze samen met de juffrouw in de keuken zat. Het was heerlijk rustig geworden in huis. Mevrouw wilde met het middageten alleen een boterhammetje met kaas. Mijnheer zei dat hij op de fabriek ging kijken. Al was de campagne voorbij, voor hemzelf was er werk genoeg te doen.

Toen mijnheer aan het einde van de middag terugkwam, moesten Vogelaar, de juffrouw en Metje alle drie bij hem in zijn studeerkamer komen. Hij zat achter zijn bureau en prees zijn personeel voor al het werk dat ze in de afgelopen dagen hadden verricht. Hij keek de juffrouw daarna onderzoekend aan. 'Mij is in het oor gefluisterd dat u erg veel van uzelf heeft moeten vergen en dat u dringend aan rust toe bent. Mij is eveneens verteld dat u graag uw zuster wilt gaan opzoeken. U kunt maandag of dinsdag vertrekken, twee nachtjes wegblijven en aan het einde daarvan terug komen. En als u er weer bent, krijgt deze jongedame,' hij knikte naar Metje, 'een hele vrije dag, want zij moet vanzelfsprekend tijdens uw afwezigheid voor alles zorgen. Niet dat ik me daar zorgen over maak, want ze heeft al eerder bewezen dat uitstekend aan te kunnen. Daarna kun jij dus een extra vrije dag nemen, Metje. En o ja, ik heb hier alvast jullie loon. Voor allemaal het dubbele van het gewone loon, vanwege de extra uren en de drukte met de feestdagen.'

Metje was sprakeloos. De juffrouw kreeg tranen in haar ogen en Vogelaar pompte de hand van zijn baas alsof hij water moest putten uit een heel diepe put.

Mevrouw had echter nog een domper voor Metje in petto, de volgende morgen toen ze haar een kopje koffie en het gebruikelijke schaaltje met koekjes bracht. 'Mijn schoonzoon zei vlak voor hij vertrok dat je erg brutaal tegen hem geweest bent, en daarom is ook mijn dochter niet erg over je te spreken, Metje.' Het klonk ongewoon streng voor mevrouw.

Ze kreeg een kleur als vuur. Maar wat kon ze zeggen? Ze haalde diep adem om rustig te blijven. 'Ik heb mijn best gedaan, mevrouw, en meer kan niemand van me vragen. Het is jammer dat mijnheer Brouwer niet tevreden was.'

'Misschien kun je het goedmaken als ze met Pasen weer komen,' meende mevrouw streng.

Ze moest er maar niet op reageren, hield ze zichzelf voor. Maar misschien zou ze met Pasen kunnen zeggen een keertje ziek te zijn?

Het was de dag van haar verjaardag, half februari. Vanzelfsprekend werd ze die morgen door iedereen gefeliciteerd en van haar familie kreeg ze twee gloednieuwe theedoeken voor haar uitzet als verjaarscadeau. Natuurlijk had ze liever een boek gekregen, maar haar ouders vonden dat cadeautjes altijd nuttig moesten zijn. Vanavond bij de koffie zouden ze een koekje krijgen of misschien zelfs een plakje cake, en na de koffie dronken ze dan nog een glaasje. Meer drukte werd in hun gezin nooit gemaakt van een verjaardag. Net voor ze naar haar werk ging, kwam Cees ongerust binnenstommelen om te vertellen dat Antje al sinds de vorige avond in de kraam lag, maar dat het allemaal niet erg op leek te schieten.

Moeder schudde nuchter het hoofd. 'Het zal wel goed komen, maak je maar niet ongerust. Een eerste kind duurt altijd het langst. Het kan zomaar vierentwintig uur duren.' Maar ze gaf haar oudste zoon een kop koffie en een opbeurend klopje op zijn schouder, voor ze hem aanraadde net als alle andere dagen gewoon aan zijn werk te gaan. Het was immers tijd dat er moest worden geëgd, de boer zou zijn paarden niet graag aan een ander overlaten. Mannen hadden bovendien niets te zoeken aan een kraambed, en als er wat te melden was, zou hij dat wel horen.

Metje ging net als alle andere dagen gewoon aan het werk en ze dacht niet dat mijnheer of mevrouw er nog erg in zouden hebben, dat ze jarig was.

Dat was ook zo en ze liet er zelf geen woord over vallen. De dag zelf verliep dus als alle andere dagen. Juffrouw Vogelaar was in de afgelopen weken langzamerhand weer gewoon zichzelf geworden. Mevrouw was aangeslagen en licht ziekelijk, volgens de juffrouw omdat ze haar dochter miste, en hoewel er rond de fabriek een weldadige rust leek te heersen na de drukte tijdens de suikercampagne, ging mijnheer er elke dag heen en scheen hij er werk genoeg te doen te hebben.

Nu de vieze trams met suikerbieten en pulp niet langer door het dorp reden en ook het bietenvervoer in de nacht niet langer aan de orde was, heerste daar niet alleen een aangename rust vergeleken met de afgelopen paar maanden, maar ook de modder was inmiddels verdwenen en alles leek weer net als vroeger. Natuurlijk reden er nog wel enkele trams van en naar de fabriek, want de zakken met ruwsuiker werden besteld en moesten worden vervoerd. Het was plezierig weer in het dorp te lopen zonder aldoor op te moeten passen voor opspattende modder en ook de ramen langs de tramlijn zagen er eindelijk weer toonbaar uit.

Vader Huisman werkte momenteel in de grienden. Dat was zwaar werk, veel zwaarder dan het werk in de fabriek, maar vader was al blij dat hij een paar centen kon verdienen zodat zijn gezin te eten had en niet in de kou hoefde te zitten in deze kille februarimaand. Werken in de grienden of als los arbeider bij een boer betekende voor de eenvoudige man een schamel loon, maar wel brood op de plank. Na een poosje zag je die griendwerkers met gekromde ruggen lopen, in opgelapte kleding. Ze werkten van zonsopgang tot zonsondergang. Nu in de wintertijd waren de dagen kort, maar 's zomers betekende het werken op het land lange dagen van dertien of veertien uur, met niet meer dan een paar dikke sneden brood met margarine en suiker of stroopvet in de stikkezak en een kruik met koude thee mee. Zes dagen in de week hard werken voor een schamel loon. Sommige boeren gaven hun arbeiders dan nog wat aardappelen of groente mee, maar dat waren de goede boeren, en die waren schaars. Daarom werkten mannen zo graag in de suikerfabriek, maar nu ook andere industrieën zich vestigden aan de tot voor kort onbebouwde kant van de haven van het dorp, wilden veel mannen graag daar werken, ook al was het werk stoffig en vuil. Vader was erg blij geweest met het dubbele loon dat Metje na de feestdagen had gekregen. Ze had er een hele gulden zelf van mogen houden, maar de rest in moeten leveren.

Toen ze die avond thuiskwam – ze was meteen na het avondbrood weggegaan zodat ze vroeg thuis zou zijn, nu de juffrouw weer helemaal de oude was, kon die net als vroeger zelf voor de koffie voor mijnheer en mevrouw zorgen en hoefde ze niet langer zo vroeg mogelijk in bed te kruipen –

trof ze tot haar schrik haar moeder overstuur aan. 'Het is niet goed gegaan,' snikte moeder. 'Het kindje is doodgeboren, met de navelstreng om het nekje en het zag helemaal blauw. Het was een jongetje, ook dat nog. Antje is er kapot van.'

Daar schrok Metje enorm van. Het kwam vaker voor dat een kindje doodgeboren werd, het kwam ook regelmatig voor dat een moeder de geboorte niet overleefde. Bovendien waren kleine kinderen kwetsbaar voor verschillende ziekten waaraan ze gemakkelijk konden sterven. In de meeste gezinnen hadden ze weleens een kind verloren, dat was op zich niets bijzonders. Maar als het in je eigen familie gebeurde, voelde het toch als een schok, ontdekte Metje. Hilly was naar Cees gestuurd om voor de ontroostbare Antje te zorgen. Huib was nergens te bekennen. Het was eigenlijk helemaal geen verjaardag, dacht Metje aangeslagen. Tweeëntwintig was ze vandaag geworden. Nog steeds alleen. Misschien trouwde ze wel nooit, en zou ze evenmin moeder worden? Ondanks alle verdriet dat op de loer kon liggen bij het krijgen van een kindje, hoopte ze toch ooit het geluk te mogen smaken zo'n kleintje in haar armen te mogen houden. Maar ja, zonder huwelijk ook geen moedergeluk, en de meeste jonge vrouwen van haar leeftijd waren al moeder, of in ieder geval verloofd of getrouwd. Nog twee of drie jaar, dan zouden de mensen gaan fluisteren dat ze was overgeschoten. Ze voelde zich ongekend somber, ondanks het feit dat ze jarig was. Toch stond ze op om nog even bij haar broer en schoonzus te gaan kijken en hun haar medeleven te betuigen. Antje moest weer huilen en bedrukt slenterde ze door de straten terug naar het huis van haar ouders. Omdat Hilly overstuur was, zei ze haar dat ze ook naar huis moest gaan. Het meisje rende voor haar uit.

Zodra ze de straat in liep, voelde ze dat er iets aan de hand moest zijn. Ze zag het aan twee buurvrouwen, die haastig hun huis in schoten en niet langer met elkaar praatten, toen Metje de hoek om kwam. Haar hart begon onrustig te kloppen. Wat was er nu weer aan de hand? Wat een rare verjaardag was dit! Wat deed Meeuwis eigenlijk in de straat?

De postbode pakte haar bij de arm en trok haar achterom de steg in. 'Weet je al dat je broer wil trouwen met een katholiek meisje? Je vader heeft net gehoord dat Huib dat doorzet en is in alle staten! Ze hebben zo'n knallende ruzie met elkaar gehad dat de hele straat er tegen wil en dank van mee kon genieten.'

Haar benen leken het bijna te begeven. 'Ik kom net bij mijn andere broer vandaan. Mijn schoonzus heeft vandaag een doodgeboren zoontje gekregen.'

'De mensen kletsen er al over dat het allemaal geen toeval kan zijn, dat God jullie zo zwaar bezoekt.'

Ze besloot een dergelijke opmerking maar te negeren, en trok zich los. 'Laat me gaan, Meeuwis. Ik moet naar huis.'

'Ik wilde je niet hinderen,' antwoordde hij beduusd. 'Ik wilde je alleen voorbereiden omdat er iets verschrikkelijks aan de hand is bij jullie thuis.'

Ze wilde aan een vreemde niet laten blijken dat er niet voor het eerst over Huib en Inge was gesproken, want dat zou ontgetwijfeld nog meer geklets uitlokken. Metje rechtte haar schouders en deed een stap van hem vandaan. 'Ongetwijfeld bedoel je het goed, Meeuwis, maar nu moet ik naar huis en kijken of er nog iets gedaan kan worden om de vrede te herstellen.'

Hij haalde zijn schouders op. 'De enige die iets kan doen is Huib, en wel op zijn schreden terugkeren en verkering nemen met een fatsoenlijk meisje van onze eigen kerk.'

Ze vond dat een misselijke opmerking. 'Soms houden mensen van elkaar. Dat kan nooit zondig zijn,' bromde ze. Ze wachtte zijn afkeurende antwoord niet af, maar rende het laatste stukje naar huis.

Ze hoorde geen geschreeuw, besefte ze in het klompenhok. Ze nam een diepe teug adem om rustiger te worden voor ze de kamer in stapte. Moe zat met tranen in de ogen en werkeloze handen aan de tafel. Ze had haar moeder nog nooit zo aangeslagen gezien, besefte Metje. Hilly keek om het hoekje van de bedstee, waarin ze blijkbaar een toevlucht had gezocht. Vader sloeg met een strak en bitter gezicht een borrel achterover en waarschijnlijk zou het de eerste niet zijn. 'Ik hoorde op straat al dat er iets aan de hand is,' hakkelde ze ontdaan. 'Waar is Huib? En Izak, is die nog op de sigarenfabriek?'

De stortvloed aan verwijten die haar vader uitte, liet niets te raden over. 'Hij geeft zijn plannen op, of hij is mijn zoon niet meer en zet hier nooit meer een voet over de drempel,' stootte haar vader bitter uit, voor hij zijn glaasje opnieuw vulde en in zijn keel leegkieperde.

Metje boog het hoofd en wist niet anders te doen dan net als haar moeder aan tafel te gaan zitten. Ze aarzelde even voor ze troostend haar hand over die van haar moeder legde, gewoon omdat ze niet wist wat ze anders zou moeten doen. Moe kromp even in elkaar, maar richtte zich daarna op en wierp Metje een betraande blik toe. 'Twee drama's op een dag. Het is meer dan ik dragen kan, kindje.'

11

Haar vader bleef doordrinken en liep tegen de deurpost op toen hij later op de avond naar de plee wilde gaan. Hij vloekte binnensmonds, maar zowel Metje als haar moeder bleven stokstijf en zwijgend aan de keukentafel zitten. Pas toen hij buiten was, keek de jongere vrouw de oudere aan. 'Als hij terugkomt, gaat hij zijn roes wel uitslapen, moe.'

Moeder Huisman knikte gelaten. 'Maar morgenochtend wordt hij weer wakker, met een stevige kater, en het probleem is dan nog steeds niet opgelost.'

'Waarschijnlijk wordt het nooit opgelost in de zin die u bedoelt.'

'Wat denk je dan?'

'De kans is groot dat Huib binnenkort met Inge naar de stad trekt.'

'Je weet haar naam.' Moeders ogen stonden waakzaam. 'Wist je dat dit nog steeds gaande was?'

Ze knikte, want ze kon er niet over liegen. 'Ze is aardig, moeder. Ik heb haar op oudejaarsavond gezien. Is het nu echt zo erg, dat zij katholiek is en wij protestants?'

'Ja kind, dat is het. Morgen praat het hele dorp erover! Er zit niets anders op dan dat Huib op zijn schreden terugkeert, echt niet.'

'En als dat niet gebeurt?'

Haar moeder had niet eens een antwoord. Buiten hoorde ze de stem van vader, die kennelijk opnieuw ergens tegenaan gebotst was.

'Hij is stomdronken,' stelde Hilly vanuit de bedstee vast. 'Wat hij Huib ook verwijt, jezelf bezatten is ook niet netjes.'

'Houd je mond,' blafte moe naar haar jongste dochter. 'Je weet niet waar je over praat. Je vader heeft zeker niet de gewoonte om meer te drinken dan goed voor hem is.'

Hilly besloot wijselijk aan die snauw gehoor te geven en er klonk vanuit de bedstee geen ander geluid meer dan geritsel van stro. Vader kwam binnen en zwabberde heen en weer tot hij bij de bedstee was. Hij trok zijn hemd en zijn broek uit, en even later klonk zijn gemopper en getier vanachter de bedsteegordijnen. Moe zag vuurrood en verroerde zich nog steeds niet. Aan haar bewegende lippen zag Metje dat ze in stilte bad. Maar of dat helpen zou? Moe had gelijk, morgenochtend had vader zijn roes uitgeslapen en met een stevige kater zou zijn stemming er zeker niet op vooruit zijn gegaan. Na een poos stond haar moeder op om de kleren van haar man op te vouwen. De versleten broek miste bij de klep een knoop. Moe keek er zuchtend naar. Mannenbroeken hadden allemaal een klep aan de voorkant, die aan weerszijden met knopen kon worden gesloten. Die klep had soms ondeugende namen in de volksmond, zoals theetafel of snoeplade. Maar vanavond viel er in huize Huisman nergens om te lachen en was er niets om mee te spotten. Moe schonk een restje koud geworden koffie in en keek Metje vragend aan, maar die schudde het hoofd. Ze zou momenteel niets door haar keel kunnen krijgen!

Pas toen het gemopper en gedraai in de bedstee had plaatsgemaakt voor luidruchtig gesnurk, keek Metje haar moeder onderzoekend aan. 'Waar is Huib heen gegaan na de ruzie met vader?'

De oudere vrouw haalde slechts moedeloos haar schouders op. 'Geen idee. Ik hoop naar Cees, maar daar zijn ze vanzelfsprekend ook overstuur.'

'Ik ga naar Timmers. Het kan niet anders dan dat hij daar is. Zij zijn er ook niet blij mee, moe, maar ik geloof wel dat ze het langzamerhand accepteren.'

'Je weet er dus heel wat meer van en hebt er niets over gezegd.' Er lag een verwijt in de stem en dat was misschien wel terecht.

'Ze wilden eerst heel erg zeker zijn van zichzelf en van elkaar. Maar ik denk wel dat ze oprecht van elkaar houden.'

'Het mag niet, het kan niet. Ons hele gezin gaat eraan kapot.'

'Als Huib haar op moet geven, terwijl hij echt van haar houdt, is dat niet anders, moe. Hij gaat weg. Hij kan niet langer hier blijven, niet met Inge en niet zonder Inge. Hij is hier

113

aldoor bang voor geweest. Moe, denk erover na of u er niet anders tegenover wilt staan dan vader. Als vader hem niet meer wil zien, dan is dat één ding. Maar als u Huib nooit meer te zien krijgt en u zich jarenlang af moet gaan vragen wat er van hem geworden is, dan gaat u daaraan kapot.'

'Wat heb ik misdaan, om zo zwaar bezocht te worden?' klonk het nauwelijks verstaanbaar met een diepe zucht, en eindelijk kroop er een traan over de wang van de oudere vrouw.

Metje kon niet anders dan medelijdend en aarzelend haar hand over die van haar moeder leggen. Ze waren in hun gezin niet gewend aan openlijke blijken van genegenheid. Ze waren er ook niet aan gewend om openhartig te praten over vage zaken als gevoelens. Dat was in de meeste gezinnen zo, dat wel, maar vanavond ontdekte ze hoe moeilijk dat kon zijn, hoe eenzaam dat kon maken, ook al waren er andere mensen om je heen.

'U houdt van Huib en dat doet hij ook van u, maar hij houdt ook van Inge. U zult wel achter vader moeten blijven staan, maar laat Huib weten dat u hem graag zo nu en dan wilt blijven zien, als hij inderdaad vertrekt.'

'Dat kan niet.'

'De stoomtram rijdt. U kunt een of twee keer per jaar naar de stad gaan met de tram.'

'Weet je wel wat dat kost?'

'Maak een potje waar u zo nu en dan een paar centen in stopt om voor zo'n reis te sparen.'

'Vader vindt dat vast niet goed.'

'Dan zegt u dat u naar de stad wilt om een nieuwe lap stof te kopen, of wat dan ook.'

'Hij is niet gek, Metje.'

'Kom, misschien maakt de tijd hem milder. Misschien gaat vader Huib ook missen. Ik ga naar de roomse huizen. Mag ik iets van u tegen Huib zeggen, moe?'

'Wat dan?'

'Dat u van hem houdt, misschien.'

De oudere vrouw schokschouderde. 'Natuurlijk doe ik dat.

Haal boven zijn kleren en het bijbeltje dat hij heeft gekregen toen hij van school kwam. En...' Ze aarzelde en haalde haar beurs tevoorschijn. 'Ik heb niet meer dan een paar gulden. Waarschijnlijk heeft hij helemaal geen geld bij zich.'

'Ik heb ook nog wat gespaard.'

Het was al donker geworden toen Metje met een bundel kleren onder haar arm en de bijbel met het geld en wat sneden brood in de stikkezak van Huib, de straat uit liep. Om de hoek botste ze bijna tegen een stevige figuur aan. Geschrokken keek Metje in het gezicht van Meeuwis. 'Het is niet verstandig voor een jonge vrouw om in haar eentje in het donker over straat te lopen,' bromde de postbode.

'Toe, val me alsjeblieft niet opnieuw lastig.' Ze wilde langs hem heen stappen, maar hij hield haar tegen. Zijn ogen namen haar van onder tot boven op. 'Waar ga je heen met die spullen?'

'Ik breng ze naar Timmers. Ik denk dat mijn broer daar is. Ik zou niet weten waar hij anders kan zijn. Moet je nu niet weg om dat in het hele dorp rond te gaan bazuinen, Meeuwis?'

'Dat klinkt niet aardig. Denk je zo over mij?'

'Hoe anders moet ik over je denken, als jij je overal ongevraagd mee bemoeit? Ga opzij, alsjeblieft. Ik moet opschieten. Ik wil mijn moeder gerust kunnen stellen, als ik terugkom.'

'Geef die bundel maar aan mij. Ik breng je wel. Je vader wil vast niet dat je alleen in het donker over straat gaat.'

'Mijn vader is dronken en ligt in de bedstee zijn roes uit te slapen. Hij vindt het nog minder in orde dat ik Huib zijn spullen ga brengen, maar ik vrees dat mijn broer niet meer thuis zal komen.'

'Gaan ze er samen vandoor?'

'Dat weet ik niet, Meeuwis. Mijn moeder is kapot van verdriet.'

'Je vader ook, achter zijn boosheid. Hij wil gewoon dat Huib een meisje trouwt van onze eigen kerk. Dat hij werk heeft en een gezin sticht.'

Ze keek Meeuwis aan en liep door. Zwijgend volgde hij haar. Zonder protest nam hij de bundel met de kleren en de schoenen van Huib van haar over en omdat ze besefte dat hij toch niet op zou geven, liet ze het zo. Ze vond zijn aanwezigheid tegelijkertijd hinderlijk en geruststellend. Maar ze zei er niets van, want luisteren leek zijn sterkste kant zeker niet te zijn.

Met haar hart bonkend in haar keel klopte ze even later bij Timmers op de deur. Meeuwis gaf haar de klerenbundel weer terug. 'Ik wacht wel. Dan hoef je niet alleen terug te gaan.'

'Het is al lang en breed bedtijd geweest, en morgen moet er wel weer post rondgebracht worden.'

'Jij moet ook weer bijtijds bij de familie De Beijer zijn. Ik wacht. Schiet nu maar op.'

Onwennig keek ze even later twee oudere mensen aan. De kinderen lagen beslist in bed.

'Ik... Ik ben Metje, de zus van Huib. Is hij misschien hier, of...?' Ze aarzelde. 'Mijn ouders hebben ontdekt dat hij met Inge verder wil gaan, en ik weet niet wat er nu gebeuren moet.'

Er klonk gestommel van de zolder en Huib kwam naar beneden met een strak gezicht, gevolgd door Inge, met dik opgezwollen en betraande ogen.

'Ik vertrek morgenochtend naar de stad. Ik slaap vannacht hier in het klompenhok en stap morgen op de eerste tram,' vertelde Huib, terwijl Inge omstandig haar neus snoot. 'Als ik werk gevonden heb en een huisje, laat ik het Inge weten. Als ze dat wil, kan ze ook naar de stad komen, al zullen we voorlopig niet kunnen trouwen zonder toestemming, omdat we daarvoor nog te jong zijn. Maar ik begrijp het als ze niet haar ouders en familie zomaar achter zich kan laten voor een onzekere toekomst met op zijn best een huwelijk over enkele jaren.'

Inge fluisterde bibberend dat ze dit altijd had gevreesd en dat ze helemaal overstuur was geraakt, want ze hield van Huib en hij van haar en waarom konden ze niet gewoon met elkaar een gezinnetje stichten? Moest zij dan protestants worden? Dat had ze best voor Huib over, hoor, daar niet van, want voor haar was het belangrijker om in God te geloven en volgens Zijn geboden te leven, ongeacht in welke kerk ze zat. Maar ja, ze zou er haar ouders wel veel verdriet mee doen, want die dachten daar heel anders over. Dat was ook met zijn ouders zo, als Huib omwille van haar katholiek zou worden.

Metje huiverde na die stortvloed van woorden. 'Ik weet het antwoord ook niet,' hakkelde ze ontredderd. Maar ze keek over haar schouders en aarzelde. Ze zag de bedrukte gezichten van de ouders van Inge, die stil aan de tafel zaten en naar de woorden van het jonge paar geluisterd hadden. Inges vader schraapte zijn keel. 'Het gaat niet eens zozeer om onszelf, want ik deel de mening van mijn dochter dat een mens oprecht moet proberen zijn God te dienen. Ook voor mij is de intentie van het hart belangrijker dan de uitleg van de Bijbel door geleerde heren, die het allemaal zo mooi lijken te weten, maar dat al te vaak niet in hun eigen levensstijl tot uitdrukking brengen. Maar de buren... We wonen nog maar pas in dit dorp. Ik werk er, mijn kinderen gaan er naar school of werken er ook. We moeten rekening houden met wat de mensen zeggen, ook al willen we dat liever niet.'

'Geeft u toestemming voor een huwelijk met uw dochter als ze naar de stad komt?' vroeg Huib rechtstreeks, en voor het eerst flitste er een vage hoop op in zijn ogen.

'Jazeker, als jullie het eens blijven. Haar geluk is belangrijk voor me, en als jullie in de stad wonen en misschien maar een of twee keer in het jaar in het dorp komen, wel, omwille van Inges geluk kan ik daar wel mee leven.'

'Ik ook,' antwoordde haar moeder kordaat.

Huib ging zitten en Inge leek wat kalmer te zijn geworden, zeker nu haar ouders niet zo'n harde mening hadden als vader Huisman.

'Kijk, moeilijk blijft het,' peinsde Inge. 'Huib en ik hebben zelfs overwogen of ik misschien ongetrouwd zwanger zou kunnen worden, zodat de toestemming voor een huwelijk op die manier kan worden afgedwongen. Maar het kind dat eventueel op die manier geboren gaat worden, zal daar zelf levenslang de schande van moeten meedragen, en mogen wij het dat aandoen? Het is erg moeilijk allemaal.'

Metje voelde zich opgelaten en wist niet wat te zeggen of te doen. Ze dacht aan Meeuwis Tol, die buiten op haar stond te wachten. 'Misschien praten de mensen een hoop, maar dan gebeurt er weer wat anders en vergeten ze het.'

'Ongewenste huwelijken en buitenechtelijke kinderen worden lang onthouden,' mompelde Huib. 'Ik ga morgen naar de stad, zeg dat maar tegen moeder, Metje. En ik zal wekelijks een brief naar huis sturen met het dringende verzoek aan vader zijn toestemming alsnog en snel te geven, om Inge verdere problemen te besparen. Hopelijk geeft hij op een dag toe, en anders moeten we maar een paar jaar wachten. Ik ben er vast van overtuigd dat onze liefde daartegen bestand is.'

'Ik kom over een poosje ook naar de stad om daar een dienstje te zoeken,' liet Inge met een nieuwe kordaatheid weten. 'Een zus van de buurvrouw woont op Zuid, misschien weet zij iets of kan ik voorlopig bij hen in huis komen.'

'Ik zal je missen, maar ik besef dat het niet anders kan. Zolang er niet getrouwd is, kunnen jullie echter nooit onder een dak wonen.'

Huib knikte en ging net als de anderen aan de keukentafel zitten. 'Ik wil graag in alle eer met Inge trouwen, en ik ben best bereid een paar jaar geduld te oefenen. Op een gegeven moment zal het dan ook tot mijn ouders doordringen dat wij oprecht om elkaar geven. Inge opgeven en met een ander trouwen, hier timmerman blijven, het zal niet gebeuren.' Huib keek Metje aan. 'Zeg dit maar tegen vader en moeder, Metje. Zodra ik een plekje heb gevonden, laat ik het adres weten. Ik zal elke week een brief sturen, zoals gezegd, vooral ook om ervoor te zorgen dat moe niet meer verdriet van de hele kwestie heeft dan nodig is.'

Ze knikte, gaf onzeker de ouders van Inge een hand en bedankte hen voor het feit dat ze Huib vannacht onderdak wilden geven, ondanks de roddels die de komende dagen onvermijdelijk over hen de ronde zouden doen in het dorp. Daarna gaf ze Inge en Huib ook een hand en wenste ze hen het allerbeste voor de toekomst. Bedrukt stond ze even later buiten. Meeuwis had het zichtbaar koud gekregen, maar het was wel aardig van hem dat hij al die tijd op haar gewacht had.

'En?' wilde hij weten.

Ze keek hem aangeslagen aan. 'Mijn broer geeft haar niet op en zij hem ook niet. Hij gaat morgenochtend vroeg naar de stad om werk te zoeken en hier weg te kunnen, met die onderlinge controle die hem naar de keel vliegt. Zodra het kan, gaat Inge ook. Ze kan daarginds vast wel een dienstje vinden. En dan is het wachten tot het moment dat ze toestemming krijgen voor een huwelijk.'

'Dat kan zomaar jaren duren. Liefde moet heel sterk zijn om dat te kunnen overleven, Metje.'

Ze kon niet anders dan knikken. 'Gek genoeg heb ik daar wel vertrouwen in. Ik wilde dat mijn vader dat ook had.'

'Moeders zijn doorgaans eerder geneigd om toe te geven dan hun mannen,' meende hij. 'De meeste moeders willen hun kind graag gelukkig zien.'

'De ouders van Inge beseffen dat ook. Dank je,' mompelde ze toen ze vlak bij huis gekomen waren. Het licht brandde nog, zag ze. Ze haalde diep adem.

Hij keek voor het eerst zolang ze hem kende een beetje onzeker. 'Ik weet dat je me een bemoeial vindt, Metje, en waarschijnlijk ben ik dat ook. Ik hoor alle grote en kleine geruchten die in het dorp de ronde doen, dat weet jij ook wel. Maar de komende dagen krijgen jullie het flink te verduren. Vertel het mijnheer De Beijer maar liever voor hij het via een omweg hoort. Op de fabriek heeft hij de naam best een geschikte kerel te zijn.'

'Ik zal wel zien.' Ze knikte naar hem en schoot het klompenhok in voor hij nog wat zeggen kon.

In de keuken keek moeder haar met betraande ogen aan. Ze fluisterde om haar man niet wakker te maken, want het laat-

ste waar ze behoefte aan had was opnieuw geraas en getier.
'Heb je Huib gevonden?'
Ze knikte en fluisterde terug. 'Hij gaat morgen naar Rotterdam om er werk te zoeken en huisvesting. Hij heeft beloofd elke week te schrijven om te laten weten hoe het met hem gaat, zodat u zich niet ongerust hoeft te maken. Zodra vader toestemming geeft, trouwen ze in alle stilte. Tot wanneer is dat eigenlijk nodig, moe? Vijfentwintig of zelfs zevenentwintig?'
'Dat weet ik ook niet zo precies'
Metje haalde diep adem. 'De ouders van Inge zijn er ook niet blij mee en hadden ook liever gezien dat Huib katholiek werd, maar dat doet hij niet. Inge blijft ook gewoon bij haar eigen geloof. Alles moet maar betijen, moeder. Meer mogen we niet verwachten. Zo nodig wachten ze tot toestemming niet langer nodig is.'
'De schande!' zuchtte moeder diep.
'Maar Huib zal gelukkig zijn met Inge, en dat zal hij niet zijn als hij haar opgeeft en doet wat vader wil. Daar moet u proberen troost uit te putten. Moe, dit is een verjaardag die ik nooit meer zal vergeten,' zuchtte ze. 'Cees en Antje die hun kindje verliezen, en daarna dat met Huib. Het is te veel voor een enkele dag!'

12

Waarschijnlijk moesten ze dankbaar zijn, besefte Metje lamgeslagen in de loop van de volgende dag. De afgelopen nacht had ze nauwelijks een oog dichtgedaan en te horen naar het zuchten en draaien in de andere bedstee van de keuken, was dat bij haar moeder niet veel anders geweest. Terwijl ze opstonden en zich als altijd aankleedden, wasten en hun ontbijt opaten, werd er niet zo veel gezegd. Ze dachten allemaal aan Huib, die waarschijnlijk op dat moment al onderweg zou zijn voor zijn onzekere reis naar Rotterdam.

Vader had een gezicht als een oorwurm. Hij was zelden dronken en moest opgestaan zijn met een kater van jewelste, maar hij zei niets, vloekte niet en ging stil en met hangende schouders de deur uit. Sinds een week werkte hij niet langer in het riet, maar had hij beter werk. De slagersknecht was gevallen en had een arm gebroken, waardoor hij wekenlang niet kon werken en dus niet in staat was om de bestellingen rond te brengen met de hondenkar. Nu deed vader dat. Voor hem zou deze dag het moeilijkst worden, beseften de anderen. Dat hij de baan gekregen had, was mede omdat de slager van hun kerk was. Hij moest nu de bestellingen afleveren bij klanten die bijna allemaal eveneens naar hun eigen kerk gingen. Hij kende al die mensen en als ze lucht kregen van de geruchten, die niet lang op zich zouden laten wachten, zou vader overal in het dorp worden aangesproken met de vraag of het waar was, wat men nu weer gehoord had. O, wat een dorp, was een zucht die moeder wel vaker had geslaakt onder omstandigheden waarin ongezonde bemoeizucht hoogtij vierde, maar zelfs dat kwam deze morgen niet over haar lippen. Zelfs Hilly was stil en Izak sloop op zijn tenen de deur uit om naar de sigarenfabriek te gaan waar hij leerling-sigarenmaker was.

Toen Metje die morgen mijnheer De Beijer trof, vlak voor die als alle dagen naar de fabriek ging, aarzelde ze slechts kort. Ze kon maar beter meteen door de zure appel heen bijten, besefte ze. Anders bleef ze er in stilte tegen opzien, als tegen een berg die steeds hoger zou worden.

'Mijnheer, ik moet u iets zeggen,' begon ze aarzelend, en haar stem klonk zo timide dat hij haar verbaasd aankeek.

'Je gaat me toch niet vertellen dat je ergens anders wilt gaan werken, meisje? Mijn vrouw en ik zijn erg tevreden over je, ondanks het commentaar dat onze schoonzoon over je had. Het kan niet anders, of dat berustte op een misverstand.'

Ze kreeg een kleur die de bleekheid van haar wangen verjoeg. 'Nee mijnheer, ik wil niet weg,' haastte ze zich hem in dat opzicht gerust te stellen. 'Maar er zal vandaag in het dorp over mijn familie worden gekletst en het lijkt me eerlijker, als u van mijzelf hoort wat er aan de hand is.'

'Zo, gewoonlijk is mijn vrouw beter op de hoogte van de laatste roddels dan ikzelf,' meesmuilde hij niet onvriendelijk. 'Met dank aan juffrouw Vogelaar, dat spreekt.'

Vanmorgen kon ze er niet om glimlachen. 'Mijn middelste broer Huib is vanmorgen vroeg halsoverkop naar de stad getrokken om daar werk te gaan zoeken. Hij heeft omgang met een meisje van uw kerk en mijn vader is in alle staten.' Ze bloosde en keek hem verlegen aan. 'Ze was op oudejaarsavond met mijn broer hier. Misschien heeft u haar herkend.'

Hij knikte kort. 'Nette familie, nooit iets op aan te merken. Maar goed.' De ogen van de oudere man werden ernstig. 'Het is inderdaad niets om grapjes over te maken, Metje. Het is voor alle ouders moeilijk, als hun kind omgang krijgt met iemand die zijzelf om wat voor reden dan ook niet zien zitten.'

'Ja, mijnheer. Maar Inge Timmers is lief en ze houden veel van elkaar. Als ze oud genoeg zijn om zonder toestemming te kunnen trouwen, doen ze dat. Tot die tijd wachten ze.'

'Je hebt veel vertrouwen in je broer.'

Ze knikte. 'Dat zeker. Huib en Inge houden oprecht van elkaar, en dat is toch een groot goed.'

Hij glimlachte. 'Jonge mensen vinden dat tegenwoordig belangrijker dan de verstandige overwegingen die in mijn jonge jaren doorgaans doorslaggevend waren, lieve kind.

Maar ik begrijp dat men zich ermee bezig zal houden.'
'Mijn vader is er slecht aan toe. Hij is bang dat hij geen werk meer kan krijgen. Misschien mag hij ook niet meer in de fabriek komen werken als in september de nieuwe campagne begint, en dat allemaal om wat er nu met Huib gebeurt.'
'Je vader is een goede en betrouwbare arbeider en dat telt veel zwaarder. Bovendien heeft hij zelf niets misdaan. Toegegeven, er zijn mensen die dergelijke overwegingen doorslaggevend vinden, maar je vader kan uiteindelijk niet verhinderen dat zijn zoon een keus maakt waar hij niet achter kan staan. Troost je, meisje. Veel mensen hebben met roddels te maken in hun leven en bijna altijd gaat het weer voorbij. Zelfs het slechtste nieuws duurt maar drie dagen, pleegt mijn vrouw te zeggen, en ik denk dat ze daarin gelijk heeft.'
'Verkeerde huwelijken en onechte kinderen blijven lang in de herinnering hangen, mijnheer.'
'Wel, kindje, blijf je werk doen zoals je altijd deed, en wij zullen jou er niet op aankijken. Goed?'
'Dank u, mijnheer. Dat is een pak van mijn hart.' Metje voelde zich behoorlijk opgelucht.
'Het was moedig van je, het aan mij te vertellen. Waarschijnlijk was je er behoorlijk zenuwachtig voor.'
'Ja mijnheer.'
'Doe gewoon als altijd. Heb je het de juffrouw al verteld? Ook zij kan het beter van jouzelf horen dan op straat, en zij zal mijn vrouw wel op de hoogte stellen. Doe dus gewoon je werk zoals je altijd doet.'
Ze knikte. De oudere man beende de gang al door, op weg naar de fabriek die hem zo na aan het hart lag. Tegenwoordig hoefde Vogelaar hem nooit meer met de koets weg te brengen. Het lopen beviel hem blijkbaar goed, zelfs nu het winter was. Ze had zelfs van Vogelaar gehoord dat mijnheer overwoog het rijtuig en de twee koetspaarden maar te verkopen, en hij wilde dan een fiets aanschaffen.
Metje haalde diep adem en dacht aan wat hij had gezegd. Juffrouw Vogelaar toonde meer ontzetting toen ze het ver-

haal hoorde, maar voor ze iets kon zeggen, stormde haar man met een hoogrode kleur naar binnen. 'Vreselijk, vreselijk! De tram is ontspoord, een eindje verder op de dijk bij de markt, en er zijn verschillende gewonden gevallen.'

Dat was dus het nieuws dat de roddels over Huib en Inge zou overschaduwen. Hoewel de stoomtram een uitkomst was voor velen, had het voertuig op het eiland al snel de bijnaam 'de Moordenaar' toebedeeld gekregen, omdat er geregeld ongevallen mee gebeurden. Metjes hart stond stil.

'De tram naar Rotterdam, of de andere kant op?' vroeg ze ademloos terwijl haar hart zwaar begon te bonken. 'Is het net gebeurd of al vanmorgen vroeg?'

'Er liggen twee gewonden op straat en er zitten er nog een paar in het ontspoorde rijtuig. De veldwachter is nauwelijks bij machte om de nieuwsgierige toeschouwers op een afstand te houden. De dokter is al gewaarschuwd en zal er inmiddels wel bij zijn.'

'Ik ga kijken,' mompelde zijn vrouw met een blik in de ogen van: ik laat me door niets een niemand tegenhouden. 'Kom mee, Metje.'

'Doe nu niet,' bromde haar man ontstemd. 'Er zijn al veel te veel mensen. Wie weet waar ze allemaal vandaan komen als er wat gebeurt!'

Juffrouw Vogelaar had haar omslagdoek echter al stevig om zich heen getrokken. 'Kom mee, Metje,' herhaalde ze. 'Mevrouw wil straks precies weten wat er is gebeurd en dan kan ik dat haar uitgebreid vertellen.'

Metje hapte naar adem, want ze had de juffrouw nog niet over Huib kunnen vertellen en haar hoofd tolde ervan.

Wie zag ze als eerste? Het zou Meewis Tol eens niet zijn! Geen wonder dat hem niets ontging van wat er in het dorp gebeurde, want hij stond overal met zijn neus bovenop! Maar wonder boven wonder had Meeuwis haar nog niet gezien.

Juffrouw Vogelaar kon akelig kordaat zijn als haar nieuwsgierigheid eenmaal was gewekt, ontdekte Metje, en tot haar stomme verbazing, maar ook tot haar schrik, keek ze even later recht in de ogen van Jan Huijbers, die met een zwaar bebloede arm en een gezicht dat vertrokken was van pijn naast de tram om de grond zat. De dokter was er inderdaad al en was in de weer met een vrouw die kennelijk buiten bewustzijn op de grond lag.

Gaandeweg destilleerde ze uit de rondzingende geruchten wat er ongeveer moest zijn gebeurd. Overstekende kinderen, een tram die veel te hard af had moeten remmen, juist waar een flauwe bocht liep om ze te kunnen ontwijken, schreeuwende moeders en een ontspoord rijtuig. Er waren kneuzingen en bloedingen bij verschillende mensen. Het rijtuig dat naast de rails stond had een gevel van een huis beschadigd. De vrouw die op de grond lag kon zwaargewond zijn of domweg flauwgevallen van de schrik, wie zou het zeggen? Ondanks alle drukte om hem heen en de pijn die hij moest hebben, zag ze de ogen van Jan oplichten toen hij haar in de gaten kreeg. Hij wilde opstaan om naar haar toe te komen, besefte ze, maar dat was natuurlijk niet zo verstandig met al die mensen om hem heen. En van wie was het volgende paar ogen waar ze recht in keek?

Juist!

Meeuwis bemoeide zich echter niet met haar, maar hielp mee met de veldwachter om de oprukkende drukte in het gareel te krijgen. De conducteur van de tram stond met een lijkbleek gezicht voor zich uit te mompelen, maar leek zelf niet gewond te zijn.

Ineens wilde ze hier niet langer zijn. Ze trok juffrouw Vogelaar aan de punt van haar omslagdoek. 'Ik ga terug, juffrouw. Mevrouw moet haar thee hebben en zal niet weten waar die blijft. Ik doe het wel.'

'Goed, goed,' mompelde de oudere vrouw, en Metje voelde hoe Jan haar nogmaals aankeek. Toen hij zag dat ze zich om wilde keren, schudde hij zijn hoofd, maar ze ging toch weg.

In de keuken moest ze even gaan zitten. Haar knieën knikten zo! Huib was er gelukkig niet bij betrokken en was misschien al wel bijna in de stad. Jan was gewond geraakt en

125

had haar met zijn blik iets willen vragen, zo leek het haar. Maar ze kon en mocht niets doen en het enige wat ze voelde, was verwarring.

De hele dag voelde Metje zich slecht op haar gemak. Juffrouw Vogelaar had slechts met een afkeurende blik haar wenkbrauwen opgetrokken. Ze wilde daarom mevrouw zelf vertellen wat er in haar familie was gebeurd, maar ze kreeg gewoon de kans niet. Juffrouw Vogelaar had steeds wat en pas na een paar uren veronderstelde ze dat de huishoudster haar op de een of andere manier bij mevrouw De Beijer vandaan hield. Toen dat eenmaal tot haar doorgedrongen was, had mevrouw haar gebruikelijke thee halverwege de middag al gehad en toen de juffrouw aan de achterdeur stond te praten met een leverancier, ging Metje de salon in om het gebruikte serviesgoed op te halen. Mevrouw keek verveeld uit het raam. 'Is alles in het dorp weer een beetje gewoon na het ongeval van deze morgen, Metje?' wilde mevrouw weten, en het meisje besefte dat mevrouw zich stierlijk verveelde en voornamelijk om een praatje verlegen zat.

Ze haalde diep adem. 'De gewonden zijn verzorgd, mevrouw, en ik heb niet gehoord dat er een zo slecht aan toe zou zijn dat het levensbedreigend is. Dus dat is een geluk bij een ongeluk.'

'Inderdaad.' De ogen van mevrouw stonden vandaag vriendelijk. Feitelijk hadden deftige dames als mevrouw maar een saai leven, dacht Metje. Werken was niet altijd leuk, wat heet: meestal niet leuk, maar hele dagen niets te doen hebben omdat je personeel had dat je alles uit handen nam, was mogelijk nog erger. Zelf vond ze de zondagen tenminste al eindeloos lang duren, als dit niet mocht en dat ook niet. Mevrouw las een beetje, ging een enkele keer het dorp in, ontving zo nu en dan kennissen of ging er op bezoek, en haar man was hele dagen op de fabriek. Ze las wat en borduurde wat, en dat was het dan zo'n beetje. Ze zag bleek en was snel moe. Geen wonder, als je altijd maar binnen zat vanwege de blanke teint, een strak geregen korset droeg en nooit wat deed. Metje verbaasde zich er zelf over dat ze ineens een steek van medelijden voelde met haar welgestelde mevrouw. Toen haalde ze diep adem. 'Ik moet u iets vertellen, mevrouw.'

De oudere dame keek haar geschrokken aan. 'Je bent toch niet zwanger, is het wel?'

Ondanks alles schoot Metje in de lach. 'Zeker niet, mevrouw. Ik heb niet eens een vrijer.'

'O, gelukkig dan maar. De ellende met veel meiden is dat ze het niet zo nauw nemen met de moraal, of dat ze zwichten voor het aandringen van een jongeman die zijn behoeften niet langer kan onderdrukken. Ach, mannen! Ze zijn... Nu ja.' Ineens vermande ze zich weer. 'Vertel het me dan maar en kijk niet zo geschrokken.'

'Mijn broer Huib is vanmorgen met de eerste tram naar de stad vertrokken omdat er thuis onenigheid is geweest, mevrouw. Hij wil gaan trouwen met een meisje dat katholiek is en mijn vader was daarover in alle staten.'

'O.' Mevrouw keek toch weer geschrokken. 'Ja, het is voor ouders altijd pijnlijk als hun kinderen een huwelijk willen aangaan dat niet passend is.'

'Ja, mevrouw, dat is het zeker, maar het meisje in kwestie is lief en ze houden oprecht van elkaar. Ze zijn nog te jong om zonder toestemming te kunnen trouwen. Huib is pas drieëntwintig, dus ze moeten nog een paar jaar wachten.'

'En haar ouders? Wie is het eigenlijk, want ze is dus van onze kerk en mogelijk zelfs hiernaartoe gekomen omdat haar vader in de fabriek werkt?'

'Inderdaad, mevrouw. Ze heet Inge Timmers en woont in de roomse huizen. Ik heb haar een paar keer gezien en het lijkt me een lief meisje.'

'Als onze kinderen een huwelijk aan hadden willen gaan met iemand die protestants was, waren wij daar ook tegen ingegaan,' verzuchtte mevrouw. 'Je mag als ouder dankbaar zijn als je kinderen een geschikte wederhelft vinden. Iedereen gelukkig.'

Metje dacht nogal cynisch aan mijnheer Koen, de schoonzoon van mevrouw, maar hield wijselijk haar mond. 'Er zal over gepraat worden, en ik wilde dat u het van mijzelf zou horen, mevrouw, en niet door praatjes van iemand anders. Mijn moeder heeft er veel verdriet van dat Huib weg is gegaan, maar het is natuurlijk wel de beste oplossing.'

Mevrouw keek haar aan. 'Wel, misschien komt je broer nog wel tot inzicht voor het te laat is,' meende ze, en Metje begreep dat ze het gevoelige onderwerp maar beter niet meer aan moest roeren. De zegswijze dat bij twee geloven op een kussen de duivel ertussen sliep, gold blijkbaar ook aan de andere kant! Haar moeder koesterde heel misschien diep in haar hart dezelfde hoop die mevrouw net verwoordde, maar Metje was ervan overtuigd dat er niets veranderen zou. Sommige mensen leerden een liefde kennen die anderen nooit zouden begrijpen, daar was ze wel achtergekomen. Zo veel van iemand houden dat je er alles voor overhad om samen met die ander je leven te willen delen, dat overkwam lang niet iedereen en het was mooi, maar ook een zware last als er onoverkomelijke bezwaren waren. Het verschil in geloof was er daar een van. Ze nam het gebruikte serviesgoed mee en knikte vriendelijk naar mevrouw De Beijer, die haar borduurwerkje met een zucht oppakte. Ach, die had haar eigen zorgen, besefte Metje. Voor mevrouw was het te hopen dat ze er nooit achter zou komen wat het ware gezicht van haar eigen schoonzoon was!

Toen Metje die avond naar huis liep, kwam ze Meeuwis weer tegen. Of had hij misschien stiekem op haar staan wachten? Ze wist het niet. 'Heb je nog gehoord hoe het met de gewonden gaat?' vroeg ze daarom, omdat er allerlei geruchten de ronde deden in het dorp, en ze uit eigen ervaring maar al te goed wist hoe er al te snel van een mug een olifant werd gemaakt.

'Het valt allemaal wel mee,' wist Meeuwis. 'Een van de gewonden ligt nu bij de dokter thuis om verzorgd te worden. Het is de oude juffrouw De Bie van het Zandpad, en die woont immers alleen. Het komt wel goed met haar, zeggen de jongedames, die ineens een uitstekende smoes hebben om bij de dokter aan te bellen en informeren naar haar welzijn.' Hij grinnikte vrolijk.

'Lach niet zo gemeen! Het wordt vanzelf rustiger bij de dokter als hij eenmaal keurig verloofd is, dat zegt juffrouw Vogelaar.'

Meeuwis schaterde het uit. 'Wat je zegt! Arme man! Veel haast lijkt hij daarmee vooralsnog niet te maken. Dat weet ik van Toontje zelf, en zij kan het weten.'

Toontje deed de huishouding van de jonge dorpsdokter. 'Of juist niet,' meesmuilde ze. 'Niet iedere kerel kan zeggen, zo in de belangstelling te staan.'

'Die jongedames laten zich wel kennen, vind je niet?'

Ze knikte en ging er niet op in, want zijn ogen hadden een uitdagende uitdrukking die haar tegen wil en dank een tikje onrustig maakte. Hij stak zijn arm op en liep weer door, zonder naar Huib te vragen. Thuis raakte Hilly niet uitgesproken over het ongeval dat er was gebeurd, maar Metje lag die nacht in de bedstee lang wakker en twijfelde of ze naar het welzijn van Jan Huijbers moest gaan informeren of juist niet. Het een was wel erg onverschillig en het ander waarschijnlijk te vriendelijk. Ze wist niet wat ze moest doen.

De geruchten over Huib bleven tot opluchting van haar moeder in de schaduw staan van het ongeval dat er was gebeurd op de dag van zijn vertrek. Toen Metje die zaterdag naar huis wilde gaan, na uitbetaling van haar wekelijkse loon en zich verheugend op een vrije middag, besloot ze toch maar even bij Jan langs te gaan, want ze had horen vertellen dat hij momenteel niet kon werken, en dan was hij toch erger gewond dan ze had gedacht.

Toen ze in de straat bij de roomse huizen kwam, was de eerste die ze tegenkwam echter Inge. Het meisje had een wit gezichtje gekregen en ze leek wel magerder te zijn geworden. Ze aarzelde niet. 'Mis je Huib?' vroeg Metje ronduit.

Inge knikte slechts, terwijl er tranen in haar ogen opwelden. 'Ik weet dat het niet anders kan en we hebben beloofd elkaar vaak te schrijven. Maar toch... Hij is nog maar net weg en kan voorlopig nog niet hierheen komen, en ik mag van mijn vader de komende maanden evenmin naar de stad om hem op te gaan zoeken. Bovendien willen we elke cent opzij leggen die we kunnen missen, voor als we in de toekomst gaan trouwen.'

Metje knikte onder de indruk. 'Zo'n grote liefde leren kennen, Inge, dat is toch heel bijzonder.'

Eindelijk kon er een dun lachje van af. 'Er komt een dag dat ik je schoonzuster ben, en niets kan Huib en mij tegenhouden. We moeten alleen maar wachten tot we oud genoeg zijn en geen toestemming meer nodig hebben. Dat is nog een paar jaar. Maar gemakkelijk is het niet.'

'Ik begrijp het. Ik was op weg naar Huijbers. Jan is gewond geraakt bij het ongeluk. We maken weleens een praatje.' Nu was het de beurt aan Inge om Metje onderzoekend aan te kijken. 'Kennen jullie elkaar goed? Laat je vader het maar niet horen, Metje.'

'Ik ben niet verliefd op hem of zo. Maar hij is aardig en zoals gezegd, we maken weleens een praatje. Meer niet, en dat meen ik. Dan is het ook weer niet goed om helemaal niets te laten horen, denk ik, maar ik moest er wel eerst over nadenken.'

'Hij zit buiten achter op het straatje, te genieten van het voorjaarszonnetje.'

Ze knikte en even later was ze om het huis heen gelopen en zag ze hem zitten. Zijn hand zat in het verband, zijn arm in een mitella. Hij keek verrast op toen hij haar zag staan. 'Metje! Ik hoopte al dat je zou komen om te zien hoe het met me ging.' Het was duidelijk dat hij dit bezoekje heel anders interpreteerde dan zij het had bedoeld, schoot het door haar hoofd. Ze haalde diep adem. 'Er doen zo veel geruchten de ronde in het dorp, maar zo te zien valt het met jou wel mee.'

Hij knikte en klopte met zijn hand op de bank naast zich, maar ze deed maar liever net alsof ze dat gebaar niet begreep.

'Ik hoorde dat je niet kon werken,' hakkelde ze, terwijl ze

zich hoogst ongemakkelijk begon te voelen.

'Maandag ga ik weer beginnen. Mijn arm heeft veel pijn gedaan, maar omdat mijn zus de wond steeds met sodawater heeft uitgewassen, is die niet ontstoken geraakt. Eerst was ik bang voor een lelijke ontsteking, want alles van de tram is natuurlijk zo smerig als het maar kan zijn. Kom toch bij me zitten, Metje.'

Ze schudde het hoofd. 'Ik moet weer verder. Ik wilde er alleen maar zeker van zijn dat alles weer goedkomt met jou en dat is het geval. Dag.'

Ze liep zo snel als ze kon de tuin weer uit, de straat in, en voelde zich nog steeds onrustig toen ze alweer lang en breed thuis was.

13

Eerst was er sprake van geweest dat Adèle en Koen Brouwer met Pasen weer bij de familie De Beijer zouden komen logeren, maar tot Metjes enorme opluchting veranderden de plannen kort van tevoren en zouden mijnheer en mevrouw voor een hele week naar Brabant vertrekken, om daar zowel bij hun zoon als bij hun dochter elk een paar dagen te gaan logeren, en van daar ook nog enkele andere familieleden op te zoeken. Juffrouw Vogelaar was hier nog meer verheugd over dan Metje, leek het wel, want hakkelend had ze mijnheer toestemming gevraagd om tijdens hun afwezigheid nogmaals een paar dagen naar haar zuster te mogen gaan, omdat ze die soms zo miste. Die toestemming werd grif gegeven en Metje kreeg te horen dat ze dan op het huis moest passen en allerlei extra karweitjes op moest knappen. Ze mocht wel allebei de paasdagen vrij zijn. 'Maar er is dan niemand om me binnen te laten,' hakkelde ze tegen de juffrouw toen ze het nieuws hoorde. Ze had stilletjes gehoopt ook wat langer vrij te mogen zijn, maar dat was natuurlijk niet te verwachten. Ze zou de sleutel van de juffrouw krijgen, als deze er niet was. Niet dat de juffrouw die sleutel vaak gebruikte, want er was altijd iemand in huis en het was in de streek niet de gewoonte om een achterdeur op slot te doen, in het dorp niet en buiten op boerderijen al helemaal niet.

Ze voelde zich erg ongemakkelijk op de dag dat eerst in de morgen mijnheer en mevrouw vertrokken en nadat Vogelaar hen met bagage en al op de tram had gezet, pakte de juffrouw ook voor henzelf een rieten valies in, en in de middag was het huis ineens onnatuurlijk leeg en stil. Vreemd genoeg voelde Metje zich slecht op haar gemak in dat lege huis. Ze kwam tot de ontdekking dat de juffrouw de voorraadkast en de kelder zorgvuldig op slot had gedaan. Ze moest de komende dagen blijkbaar thuis eten, nu er niemand anders in huis was. Dan bleef alles schoon, was haar gezegd. Ze moest zilver en koper poetsen en nog wat kleine karweitjes doen waar ze in de afgelopen weken geen tijd voor hadden gehad.

In die weken hadden de juffrouw, de werkster en Metje schoongemaakt, zoals in elk ordelijk huishouden in het voorjaar diende te gebeuren. Gordijnen waren afgenomen en uitgeklopt voor ze weer werden opgehangen. Traplopers en kleden waren ook op die manier onder handen genomen. Vitrages waren gewassen. Kleren waren te luchten gehangen in de voorjaarszon. De grote schoonmaak ging aan geen huis voorbij, na een lange winter waarin de kachels waren gestookt en het stof daarvan in alle hoeken en gaten terecht was gekomen. Nu was de kachel weggehaald en stond er een droogboeket bloemen op de haardplaat. Het was immers gebruik dat na Pasen nergens meer de kachel brandde, wat weleens lastig kon zijn als die dagen vroeg vielen en het naderhand nog flink koud kon zijn.

Die avond was Metje al om vijf uur thuis. Ze aten niet langer als vroeger tussen de middag warm, maar 's avonds, sinds vader op de fabriek had gewerkt, en nu nam hij brood mee dat hij bij de slager opat, tussen het bezorgen van de bestellingen door. Vader hoopte op ander werk. Nu het voorjaar aanbrak en de slagersknecht weer opknapte, zou hij binnenkort wel weer op het land kunnen gaan werken. Hij hield er niet van met de hondenkar rond te lopen door het dorp, en al helemaal niet nu de mensen het ongeluk met de tram een beetje vergaten en ze hem soms vroegen naar die zoon van hem, die naar Rotterdam was vertrokken. Om in de haven te werken en beter te verdienen, was het antwoord dat hij altijd gaf, en de andere gezinsleden hadden dat overgenomen. Metje miste het lekkere eten bij de familie waar ze diende nu er niets werd klaargemaakt en ze zich weer net als vroeger tevreden moest stellen met het veel eenvoudiger eten thuis. Toen vader in de suikerfabriek werkte, hadden ze elke avond wel een stukje spek bij het eten gehad en soms zelfs een stukje vlees of een gehaktballetje. Nu Huib zijn loon niet langer thuis afdroeg, moesten ze zuinig aan doen, al verwachtte Huisman in september, als de campagne weer begon, opnieuw in de fabriek te kunnen gaan werken, zoals hem was beloofd.

De dag na het vertrek van de familie en de juffrouw met haar man, was Metje klaar met het poetsen en al om vier uur vroeg ze zich af of ze al naar huis zou durven gaan. Maar ze wist het niet en bleef in de keuken zitten met het boek over de geschiedenis van suiker dat ze al eerder had mogen lenen, om er nog eens wat over terug te lezen. Niemand die het in deze dagen merken zou, en als ze het had gevraagd, zou mijnheer het wel goedkeuren, meende ze. Ze wilde haar leergierigheid niet al te duidelijk laten blijken omdat mensen, en dan vooral mannen, dat ongepast vonden voor jonge vrouwen.

Toen er op de keukendeur werd getikt, schrok ze op omdat ze zich min of meer betrapt voelde, terwijl ze gewoon aan de keukentafel zat te lezen, met een lekkere kop koffie erbij en de overgebleven koekjes binnen handbereik.

Zonder te wachten stapte Jan Huijbers de keuken binnen. 'Hallo, Metje. Ik weet dat iedereen weg is en ik vond het zo fijn dat je me een paar weken geleden op kwam zoeken, toen ik bij het ongeluk gewond was geraakt.'

Een paar seconden lang voelde ze zich overrompeld. Maar hij leek het niet op te merken of stoorde zich er niet aan, want hij zat al op een andere keukenstoel en keek haar breed lachend aan. 'Ik heb bijna geen last meer van mijn arm,' vertelde hij. 'Weet je trouwens dat er een hulpje voor de portiers wordt gezocht, voor de komende campagne? Een soort loopjongen? Ik dacht zo dat dit misschien iets voor je broertje kon zijn.'

'Izak?' echode ze nog meer overrompeld.

Jan knikte. 'Ik wil wel een goed woordje voor hem doen.'

'Zou dat helpen?' vroeg ze aarzelend.

'Natuurlijk. Wat doet hij nu?'

'Hij is leerling bij de sigarenfabriek, maar in augustus komt de jongste zoon van de baas van school en moet Izak vanzelfsprekend plaatsmaken. De zaken schijnen niet zo goed te gaan dat Izak er ook kan blijven.'

'Nu dan! Laat je vader met Izak naar de fabriek komen.'

'Je kent hem niet eens,' mompelde ze in de war gebracht.

134

'Het is immers jouw broertje?'

'Het zou mooi zijn. Portiers hebben ze het hele jaar door nodig, niet alleen tijdens de campagne.'

'Precies. Al is het in die tijd natuurlijk wel het drukst.' Ze besloot over heel iets anders te beginnen. 'Je vader werkte in Brabant ook in de fabriek, nietwaar?'

'Hij wilde niet verhuizen en werkt nu weer net als vroeger op het land. Ik woon in bij een weduwe die we kennen via onze kerk en mijn zus Marie wilde meegaan om hier een dienstje te zoeken. Eerst loste ze bieten, maar gelukkig voor haar mag ze inmiddels onze hospita helpen, in ruil voor gratis kost en inwoning. Mijn vader komt alleen tijdens de campagne. Je weet toch wel dat er toen een heleboel woonwagens stonden, voor de arbeiders die tijdelijk werk hadden?'

Ze knikte. 'Komen die in september terug?'

'Natuurlijk. Zo gaat het overal.'

'Wil je ook koffie?' vroeg ze toen maar, want als hij Izak aan zo'n mooi baantje zou kunnen helpen, moest ze maar liever zo vriendelijk mogelijk tegen hem zijn. Althans voorlopig, vond ze. En er was toch niemand in huis, dus mogelijk had ook niemand gemerkt dat hij achterom gelopen was.

Hij praatte honderduit over zijn toekomstplannen. Hij wilde graag trouwen en een huisje voor zichzelf zien te bemachtigen in het dorp. Dat hij haar daarbij veelbetekenend aankeek, negeerde ze maar liever. Wel nam het gevoel toe dat ze beter niet bij hem langs had kunnen gaan toen hij gewond was geraakt bij dat tramongeluk, want al hadden ze elkaar daarna wekenlang niet meer gezien, kennelijk zag hij daar veel meer in dan zij had bedoeld, en nu moest ze voorzichtig zijn om de eventuele kansen van haar jongste broertje op een mooi baantje zo groot mogelijk te houden. 'Ik zal het mijn vader en Izak zeggen,' beloofde ze, toen hij zijn koffie op had en eindelijk uitgesproken was. Toen hij weer weg was gegaan, voelde ze zich opgelucht. Toch bleef ze nog dik een halfuur zitten voor ze zelf weg zou gaan, gewoon voor alle zekerheid. Omdat de tijd maar traag voorbijkroop en haar gedachten daarom met haar op de loop gingen, besefte ze, net als ze al eerder had gedaan, dat Jan vooral veel over zichzelf sprak en nauwelijks vroeg naar haar reilen en zeilen.

Opnieuw wist ze met grote zekerheid dat ze nooit iets meer zou zien in Jan, en dat ze daar eigenlijk alleen maar blij om kon zijn, nu ze wist hoeveel boosheid en verdriet er was gekomen omdat Huib met een meisje wilde trouwen dat katholiek was. Als ze wel meer om Jan gegeven zou hebben, zouden de problemen thuis niet te overzien zijn geweest, vreesde ze.

Eenmaal thuis bracht ze haar vader het nieuws over, zodra ze daarna met elkaar om de tafel zaten.

'Hoe weet je dat?' was zijn onvermijdelijke reactie, en de ogen van haar vader namen haar onderzoekend op.

'De portier die me eens de weg gewezen heeft toen ik mijnheer moest waarschuwen, maakt weleens een praatje met me als we elkaar tegenkomen, en van hem hoorde ik dat ze iemand zochten. Als u er snel werk van maakt, zou het best eens kunnen lukken, vader. Als Izak er tenminste oren naar heeft.'

'Ik heb er nooit veel voor gevoeld om mijn hele leven sigarenmaker te moeten blijven,' liet de jongen weten.

'Je hebt werk en dat is al veel waard.'

'Ja vader,' bromde de jongen gedwee. Dat hij het niet erg vond straks plaats te moeten maken voor de zoon van zijn baas, was duidelijk. 'Maar de suikerfabriek, ja, vader, daar wil ik best werken! En portier zijn is het zwaarste werk niet, lijkt me.'

'Knechtje, en misschien moet je ook de nachtwaker nog weleens helpen,' meende vader stug.

'Knechtje dan, maar als ik het goed doe, kan ik over een paar jaar zelf portier worden. Wanneer gaan we vragen of ik kan worden aangenomen?'

De dagen werden weer gewoon toen de familie De Beijer weer thuiskwam en ook juffrouw Vogelaar weer alle dagen als altijd haar werk deed. De vrije dagen hadden haar zicht-

136

baar goedgedaan, haar humeur was weer even goed als toen Metje pas bij de familie werkte. Regelmatig hoorden ze iets van Huib.

Zo ook die avond halverwege de meimaand. 'Een brief uit Rotterdam.' Meeuwis gaf die grinnikend af. 'Die heb ik speciaal voor het laatst bewaard zodat ik jou nog even zou zien, schoonheid,' grinnikte hij met de bekende brutale blik in zijn ogen, terwijl hij Metje van onder tot boven opnam. Zoals zo vaak maakte hij dat ze zich ongemakkelijk begon te voelen als hij haar aankeek. Of hij nu wat met haar wilde of niet, ze had er geen idee van. Ze wist alleen dat hij wel erg vaak opdook als ze er niet om verlegen zat. En, eerlijk is eerlijk, soms was hij er juist niet als ze hem wel graag even had gezien, zoals wanneer ze zich onveilig voelde. 'De brief is zeker van je broer?'

Ze knikte. 'Het is zijn handschrift. Wie anders zou ons een brief moeten sturen?'

'Gaat het goed met hem?'

'We hebben de brief nog niet gelezen. Goedenavond, Meeuwis.'

Hij grinnikte alweer, maar zijn ogen namen haar onderzoekend op. 'Ik kom overal, dat weet je. Inge wordt bleek en mager. Met haar gaat het in ieder geval niet zo goed.'

Ze kreeg er een kleur van, maar wist een antwoord of zelfs een vraag over de netelige kwestie binnen te houden. 'Was jij het niet die mij er eens op wees dat jonge mensen vooral iemand moeten zien te vinden binnen hun eigen kerk? Dag Meeuwis!'

Binnen gaf ze de brief zwijgend aan vader en de anderen keken vragend toe, toen hij moeizaam woord voor woord uitspelde. Lezen ging hem nu eenmaal niet gemakkelijk af. In zijn jonge jaren was hij te vaak thuisgehouden van school om mee te helpen op het land, en het leren had hem ook niet erg geïnteresseerd. Moe kon beter lezen, hoewel die misschien slechts de helft van de verplichte jaren op school ook daadwerkelijk in de schoolbanken had gezeten. Meisjes werden immers nog gemakkelijker thuisgehouden dan jongens, om mee te helpen in de huishouding als de moeder ziek was of weer een kind moest krijgen.

Haar moeder had er wel op gestaan, dat Metje en Hilly altijd naar school konden. Vooral Metje had gemakkelijk geleerd, maar van doorleren was natuurlijk nooit sprake geweest. Een heel enkele keer gebeurde het wel dat de meester een zeer begaafde leerling uit het arbeidersvolk probeerde door te laten leren, maar slechts zelden zagen de ouders daar het nut van in, en als het al gebeurde, ging dat altijd om jongens, die het dan heel zwaar kregen omdat ze veel werden gepest op scholen die bijna uitsluitend werden bevolkt door leerlingen uit de betere sociale klassen.

'Hij heeft werk in de haven dat hij plezierig vindt,' bitste vader na een tijd, waarin moeder uiteindelijk de aardappelen had afgegoten. Ze hadden er vandaag sla bij en een gekookt eitje. Lekkere voorjaarskost, vond Metje. Het eten smaakte haar best. Vader gaf de brief uiteindelijk zwijgend aan moeder en begon te eten. Moeder at door. Als straks de afwas was gedaan, zou ze de brief wel lezen. Gelukkig liet Huib regelmatig van zich horen, zodat ze er niet wakker van hoefde te liggen, omdat ze zich ongerust maakte over het kind dat zo ver weg probeerde een ander leven op te bouwen.

Een uurtje later kreeg Metje de kans zelf de brief te lezen. Huib schreef dat hij het werk in de haven niet onplezierig vond en dat hij een bed op zolder had bij een achterneef, die ook in de stad woonde. Hij betaalde daar een bescheiden huur voor en was er ook in de kost. Het was een goede oplossing voor beiden, want het vel werd hem niet over de neus gehaald, zodat hij ongeveer de helft van het loon dat hij in de haven verdiende opzij kon leggen voor de tijd dat Inge ook kon komen en ze eindelijk zouden kunnen trouwen. Het gezin waar hij in de kost was, had op deze manier wat extra inkomen, en dat was altijd welkom in een gezin met enkele opgroeiende kinderen. Hij miste Inge verschrikkelijk en hij miste hen natuurlijk ook, maar hij snapte wel dat in het dorp blijven geen optie was geweest. Hij wilde Inge graag een keertje opzoeken, maar zou zich pas in het dorp laten zien als alle opwinding een beetje geluwd was. Er stond een adres op de brief. 'U kunt hem terug schrijven,' knikte ze tegen moeder. 'Huib zal dat fijn vinden, moe.' Ze schreef het adres over op een papiertje. 'Dit zal ik vandaag of morgen aan Inge geven, al denk ik dat hij haar zijn adres ook heeft gestuurd, maar ik weet natuurlijk niet of haar ouders zijn brieven wel aan haar geven. Het zou de eerste keer niet zijn dat brieven van een ongewenste aanbidder worden verdonkeremaand als het de ouders beter uitkomt.'

'Zij hoeven zich niet voor onze Huib te schamen,' reageerde haar moeder.

'Wij ook niet voor Inge. Ze is lief en aardig, komt uit een net gezin en als ze van onze eigen kerk zou zijn, zouden jullie dolblij met haar zijn geweest.'

'Hij schrijft dat Inge hem ook heeft geschreven, dus ze hebben contact gehouden. Is er soms een andere reden dat je dat meisje blijkbaar wilt zien?'

'Meeuwis zei dat ze stil en mager is geworden. Ze zal Huib wel missen, en zoals ik al zei, moe, ze is echt aardig.'

'Waren die katholieken maar in Brabant gebleven,' verzuchtte haar vader uit de grond van zijn hart.

'Maar ja, dat is niet zo,' mompelde moeder terwijl ze opstond om koffie in te gaan schenken. Nu het voorjaar was geworden, bleef het 's avonds steeds langer licht, maar toch gingen ze altijd op tijd naar bed. Om vier uur stond vader op omdat hij weer bij een boer werkte, dezelfde boer waar Cees paardenknecht was. Cees en Antje hadden het verlies van hun doodgeboren zoontje inmiddels aanvaard en Antje hoopte dat ze snel weer in verwachting zou raken. Ze verlangde naar een kind en bad erom, had ze Metje toevertrouwd. 'Nu nog wel,' had moeder eens gezegd. 'Dat wordt wel anders, als ze er al een paar heeft en moeite heeft om al die monden te voeden en al die kinderen te kleden.'

Boerenarbeiders trokken in deze tijd van het jaar voor dag en dauw de velden in. Het opkomende onkruid moest worden geschoffeld en later op de dag, als de dauw van de gewassen was opgedroogd, moest er gehooid worden. Over een paar weken zou de oogsttijd aanbreken. Eerst kwam dan het hooi. Vaak werd er tot in de avond doorgewerkt en de nachten duurden maar kort. Maar als het regende, was het rustiger. Dan konden de geplaagde arbeiders weer een beetje uitrusten.

Izak werd inderdaad aangenomen als hulpje van de portier en de nachtwaker op de suikerfabriek en de jongen had plezier in het werk. Van mijnheer wist Metje dat de fabriek dit jaar veel meer suikerbieten hoopte te kunnen verwerken dan in de afgelopen eerste campagne. Izak liep bepaald weg met Jan Huijbers en als Metje eerlijk was, vond ze dat toch niet erg plezierig. Jan wachtte haar met enige regelmaat op als ze van haar werk naar huis wilde gaan, en nu hij haar broertje dat baantje had bezorgd, althans, ze dacht wel dat hij daaraan bijgedragen had, durfde ze hem niet te veel af te houden. Dus was in de afgelopen weken de gewoonte ontstaan dat ze dan in de tuin van de familie een kwartiertje kletsten als zij klaar was, waarna hij naar huis ging en zij even later ook, zodat ze niet samen in het dorp werden gezien. Hij wilde dat anders en dat wist ze. Ze vond hem weliswaar aardig, maar ook niet meer dan dat, en dat zou ook nooit veranderen. Het was lastig voor Metje. Hij wilde meer dan zij, maar ze probeerde hem duidelijk te maken dat door alle gedoe met haar broer, ze het haar ouders zeker niet aan kon doen zelf ook ooit met een katholiek te willen trouwen. Dat ze dat zonder meer niet wilde, had ze voor zich gehouden. Ze hoopte aldoor dat het tot Jan zou doordringen dat wat hij wilde, nooit zou gebeuren, en dat hij werk zou gaan maken van een meisje van zijn eigen parochie.

De volgende avond ging ze bij Inge langs, toen haar dagtaak erop zat. Het was de eerste keer in weken dat ze het meisje zag en ze schrok toen ze zag dat Meeuwis gelijk had. Inge was lusteloos en vermagerd. 'We hebben weer een brief van Huib gehad. Het gaat goed met hem,' begon ze, en ze voelde zich opnieuw ongemakkelijk. 'Geven je ouders je de brieven van Huib nog steeds?'

Inge knikte. 'Gelukkig wel. Ze beginnen te beseffen dat ik

inderdaad met Huib ga trouwen, in de toekomst. Ik denk erover zelf een dienstje in de stad te gaan zoeken, Metje. Ik mis Huib te veel. Hij kan niet hierheen komen zonder weer gedoe met zijn vader te krijgen. We kunnen dit niet jaren volhouden zonder elkaar zo nu en dan te zien, tot de toestemming niet langer nodig is. Mijn vader wil die inmiddels wel geven, omdat hij ervan overtuigd is geraakt dat Huib en ik echt van elkaar houden. Liever een protestantse schoonzoon dan dat ik ongehuwd zwanger word, heeft hij laatst gezegd.'

'Schrijf jij Huib ook?'

'Wel vaker dan een keer in de week,' zuchtte ze. 'Hij kijkt nu uit naar een plekje waar ik zolang in de kost kan komen en als ik in de stad woon, kunnen we elkaar tenminste weer zien.'

'Juist daarom is je vader bang dat er ongelukken van komen.'

'We denken er niet langer aan om bewust een kind te verwekken, zodat we eerder kunnen trouwen. Hij wil mijn eer hoog houden, zegt Huib. Dat is lief van hem, maar het is zwaar, en ik ben zo blij dat je mij wilde zien.' Inge begon te huilen en Metje beloofde haar uiteindelijk hier met moe over te praten. Zelf had ze geen invloed op haar vader. Als iemand dat had, was het moe of de dominee, en van de laatste hoefden ze geen steun te verwachten in deze netelige kwestie. Bedrukt slenterde ze na dat bezoekje naar huis. Halverwege kwam ze Jan tegen. Of het toeval was, wist ze niet.

14

'Dag Metje, wat kijk je aangeslagen?' vroeg hij terwijl zijn wenkbrauwen vragend omhoog gingen.

'Ik heb net met Inge Timmers gesproken. Huib en zij missen elkaar verschrikkelijk, maar voorlopig moeten ze geduld hebben. Er zit niets anders op.' Hij maakte aanstalten om met haar mee te lopen, maar ze schudde haar hoofd. 'Doe maar niet, Jan. Het spijt me, maar ik wil thuis niet nog meer deining hebben. Inge is aardig en ik krijg een goede schoonzuster aan haar, maar ze mist mijn broer heel erg.'

'Dat beseft iedereen hier in de buurt.'

'Wordt er veel over hen gesproken?' vroeg ze aarzelend en bijna tegen wil en dank.

'Soms. Verkeerde liefdes leiden altijd tot veel bemoeienis, meestal ongewenst, dat weet je. Maar er zijn ergere dingen! Bij ons in de straat is onlangs een kind overleden als gevolg van de mazelen. Dat is ander verdriet voor de ouders, maar wel erger.'

Ze knikte. 'Mijn moeder weet dat het goed gaat met Huib, ook al kan ze hem niet vaak zien.'

'Jullie kunnen hem opzoeken.'

'Dat vindt mijn vader niet goed en het kost ook te veel geld. Ik moet gaan. Ze wachten thuis op mij.'

Eens temeer besefte ze er goed aan te doen Jan Huijbers voortaan zo veel mogelijk te mijden, omdat ze maar al te goed wist dat het nooit iets tussen hen zou worden.

Mei en juni gingen voorbij en er kwamen warme zomerdagen, waarin het graan op de akkers goudgeel kleurde en mensen badend in het zweet hun werk verrichtten. In het huis van de familie De Beijer bleven de blinden op een kleine kier na gesloten om de felle zon buiten te houden en mijnheer had het erover dat ze er maar eens over moesten gaan denken een ijskast aan te schaffen, wat onder meer welgestelde mensen in de mode begon te raken. In de wintertijd, als het had gevroren, werden grote stukken ijs uitgezaagd en in speciale ijskelders opgeslagen. Nu er tramvervoer gekomen was naar het eiland en dat ijs dus sneller kon worden vervoerd dan vroeger het geval was geweest, werden blokken ijs om de inhoud van de ijskast te koelen afgeleverd in de deftige huizen, waar men zich die luxe veroorloven kon. Het was duur, zo'n speciale kast om het eten koel in te bewaren, maar aan de andere kant bedierf het voedsel dan veel minder snel. Juffrouw Vogelaar had er wel oren naar, maar voorlopig bleef het bij plannen alleen.

Metje had uiteindelijk in een moeilijk gesprek aan Jan duidelijk weten te maken dat het nooit iets tussen hen zou worden. Ze had hem in de waan gelaten dat dit kwam door de toestanden met Inge en Huib, en hem niet gekwetst met de mededeling dat ze zelf niets in hem zag. Meeuwis zag ze momenteel ook enkel in het voorbijgaan, maar dat stoorde haar niet. Zijn botte opmerkingen had ze soms ronduit vervelend gevonden, maar na een poosje ontdekte ze dat ze zijn goedlachsheid en alle nieuwtjes die hij wist te vertellen, zonder nu direct over mensen te roddelen, toch weer miste. In het dorp waren de mensen over de jonge postbode te spreken, dat besefte ze heel goed. In de kerk hoorde ze soms vertellen dat Meeuwis iets voor iemand had gedaan. Hij scheen geregeld wat te eten te brengen bij een oude man die niet meer zelf kon koken, maar misschien moest hij dat eenvoudig van zijn moeder doen, als er bij hen thuis toch iets overgebleven was.

Mevrouw vertelde op een morgen dat haar dochter weer zou komen logeren en dat het kindje zou meekomen, met de kindermeid. Metje herinnerde zich de vorige logeerpartij met Kerstmis nog maar al te goed en de schrik sloeg haar om het hart, maar over de schoonzoon hoorde ze tot haar geruststelling niets. Daar was ze immens opgelucht over, want nu was Huib niet langer in de buurt om haar op te komen halen, zodat voorkomen kon worden dat mijnheer Brouwer haar opnieuw lastig zou vallen.

Augustus bracht altijd veel drukte op het platteland als het koren moest worden geoogst en nadat het in schoven gebonden gedroogd was, moesten die met paard-en-wagen worden opgehaald en in de grote boerenschuren worden opgeslagen tot het graan kon worden gedorst. Op de meeste boerderijen gebeurde dat nog als vanouds met de dorsvlegel in de winter-maanden, zwaar en vooral stoffig werk voor de arbeiders, dat hen aan het hoesten bracht, en op de lange duur kregen veel van die arbeiders slechte longen, benauwdheden en sommi-gen stierven daar zelfs aan. Vlaswerkers deelden trouwens dat lot. Maar de laatste tijd verschenen op steeds meer boerderij-en, de grote boerderijen waar ze dat konden betalen natuur-lijk, dorsmachines. Die waren er al langer en werden vroeger aangedreven door paardenkracht in een rosmolen, maar tegenwoordig werkten dergelijke machines soms op stoom en dan duurde het dorsen slechts korte tijd in plaats van de vele wintermaanden. Een slimme boer trok met zijn dorsmachine langs verschillende boerderijen die hem met zijn machine dan in konden huren, als een soort loonwerker, en zo verdiende hij die dure machine in een paar jaar tijd terug.

Er veranderde het nodige bij de boeren, dat was duidelijk. Gewassen waar vroeger veel geld mee werd verdiend, ver-dwenen omdat er niet langer vraag naar was. De teelt van suikerbieten was in dit deel van het land rendabeler dan ooit tevoren, met het openen van steeds meer suikerfabrieken, die de bieten in de eigen omgeving konden verwerken, en de oude gewassen werden daarom steeds vaker vervangen door suikerbieten.

Het was duidelijk geworden dat Izak in vaste dienst kwam op de fabriek als in september de nieuwe suikercampagne zou beginnen, en ook vader Huisman behoorde tot de arbei-ders die voor de duur van de tweede campagne voor enkele maanden waren verzekerd van vast werk. Haar ouders waren daar opgelucht over, besefte Metje. Nu Huib al maanden in de stad woonde en er alleen maar positieve berichten in zijn brieven stonden, ebde duidelijk de ergste pijn weg. Ze spra-ken er trots over dat hun zoon in de haven meer verdiende dan hij hier in het dorp ooit had kunnen doen, maar spraken nooit meer over de aanleiding daartoe, en de naam Inge viel niet.

De dochter van mevrouw De Beijer arriveerde half augustus met een hoop bombarie. Het kind was flink gegroeid en Nelly gedroeg zich nog veeleisender dan een paar maanden geleden, maar juffrouw Vogelaar negeerde haar en droeg Metje op hetzelfde te doen. Gelukkig kwam Brouwer zelf niet mee.

De dochter was elke morgen misselijk, en dat deed de juffrouw al snel haar wenkbrauwen fronsen, want gezonde jonge vrouwen die bovendien getrouwd waren, hadden doorgaans maar een reden voor de onpasselijkheid aan het begin van de dag. Wanneer de logés weer zouden vertrekken, daar hoorde Metje dagenlang niets over, en groot was de schrik toen ze op zaterdagmorgen hoorde dat mijnheer Brouwer volgende week alsnog zou arriveren. Wat die man eigenlijk voor werk deed, dat was haar nooit duidelijk geworden. Mijnheer De Beijer mocht dan deftig zijn, hij werkte hard – als je dat tenminste zo mocht noemen als iemand de hele dag met zijn achterwerk op een stoel achter een bureau zat!

Ongerust was Metje naar huis gegaan voor haar gebruikelijke vrije zaterdagmiddag en juffrouw Vogelaar zag zuchtend tegen een drukke zondag op, met de veeleisende gasten in huis.

Weer thuis hield haar moeder een brief omhoog. 'Volgende week komt Huib thuis,' lachte haar moeder en haar ogen blonken verdacht omdat er nog net geen tranen over haar wangen rolden.

'Voorgoed?' vroeg Metje aarzelend. 'Kan hij dan toch niet wennen in de stad?'

'Hij mist ons,' verzuchtte moeder. 'Maar ik ben er blij om. Nee, Metje, over blijven schrijft hij niets. Hoogstwaarschijnlijk mist hij dat meisje nog meer dan ons.'

'Het zou mooi zijn als vader hen dan maar liet trouwen,' antwoordde Metje voorzichtig. 'Voor er ongelukken van komen. Elkaar opgeven doen ze toch niet.'

'Misschien is zij hem al lang en breed vergeten, nu hij niet langer om haar heen hangt.'

'Maar als dat niet zo is, moe? Als die twee nu eens oprecht

van elkaar houden? Staat in de Bijbel niet dat liefde het belangrijkste is?'

'Er staat zo veel in de Bijbel dat iedereen er wel met teksten zijn gelijk kan halen,' mompelde moeder, en Metje kreeg er een kleur van, want haar vader zou heel boos worden als haar moeder zoiets zei. De Bijbel was immers het woord van God, waar een mens niet aan mocht twijfelen.

Ze ging het dorp niet in. Vader had de brief zwijgend gelezen en geen commentaar gegeven. Moeder koesterde haar hoop. Het was nu eenmaal altijd zo, beweerde ze toen haar man het niet horen kon, dat moeders hun kinderen vreselijk misten als ze ver weg woonden, maar kinderen hun ouders niet of in ieder geval veel minder, want zij keken vooruit naar een leven waarvan ze nog verwachtingen koesterden. Zo hoorde het natuurlijk ook, maar het was niet altijd even gemakkelijk in het leven van alledag. Metje hoorde het aan en luisterde stil.

De zondag was als gebruikelijk rustig voorbijgegaan, slechts onderbroken door kerkbezoek. Op maandagmorgen bleek dat Adèle afreisde naar Brabant, om aan het einde van de week met haar man terug te komen, maar dat het kind en de kindermeid hier zouden blijven, omdat de kleine nog niet te veel heen en weer gesleept moest worden.

Juffrouw Vogelaar kneep zo nu en dan de lippen samen en mompelde dat mevrouw niet had gezegd hoelang de gasten zouden blijven. Als dat voor langere tijd was, dan zou het weer net gaan als met Kerstmis en was ze binnen de kortste keren oververmoeid door een niet-aflatende hoeveelheid verlangens en eisen van de logés. Zou mevrouw niet begrijpen dat voor zo veel mensen het personeel niet toereikend was?

Op vrijdag kwamen Adèle en Koen Brouwer aan en dat alleen al ging gepaard met drukte en gedoe. Metje was angstig zodra ze die man weer zag, en het was al helemaal angstig omdat ze nog steeds niet wist hoelang het echtpaar blijven zou en waarom ze midden in de zomer kennelijk zo lang kwamen logeren in het huis van haar moeder. Dat mevrouw haar dochter en kleinkind miste, nu ja, dat was misschien wel hetzelfde als haar moeder die Huib miste en reikhalzend naar morgen uitkeek, omdat haar broer dan zou komen en tot maandagmorgen zou blijven. Maar zodra mijnheer Koen haar aankeek, en het leek wel of hij haar uitlachte, besefte Metje dat er nog niets veranderd was en dat ze opnieuw heel goed uit zou moeten kijken. Ze moest maar liever proberen zo vroeg mogelijk naar huis te gaan, als er nog mensen op straat waren, zodat ze zich min of meer veilig kon voelen, want als anderen het konden zien, zou dit heerschap niets proberen. Niet in het dorp waar zijn schoonouders woonden. Ze moest nadenken bij alles wat ze deed en niet het risico lopen dat hij haar in een kamer alleen zou treffen. Ze voelde zich aangeslagen, en dat alleen al dat maakte dat ze zich moe voelde en lusteloos.

Om zeven uur die avond was de vaat gedaan en de keuken aan kant en kon ze eindelijk naar huis, omdat de juffrouw een uurtje later nog voor koffie zou zorgen. 'Wat heb je een haast om weg te komen,' mopperde juffrouw Vogelaar, die dat niet van Metje gewend was en die de onrust van het meisje maar al te goed opgemerkte.

Metje aarzelde. 'Misschien doe ik de man onrecht, juffrouw Vogelaar, maar ik ben bang van mijnheer Brouwer. U weet toch nog wel dat hij het mij met Kerstmis zo moeilijk maakte? Ik heb de hele dag op de toppen van mijn zenuwen gelopen en thuis is ook niet alles koek en ei, omdat mijn broer naar huis komt, en ik ben bang dat hier weer een woordenwisseling met vader van komt.' Ze slaakte een diepe zucht.

'Nu, ga dan maar,' knikte de juffrouw.

Gelukkig was het nog licht en omdat het een zoele avond was, waren er veel mensen op straat. Metjes hart klopte niettemin in haar keel, tot ze een eind uit de buurt van het huis van de familie was, en bijna thuis. Zo kon dat niet doorgaan, besefte ze. Weer binnen keek ze naar Izak. 'Ik zou het fijn vinden als jij me de komende tijd om deze tijd bij de familie op wilt komen halen,' begon ze zodra ze zat.

'Waarom?' wilde haar vader weten.

Er zat niets anders op dan hem hakkelend te herinneren aan de moeilijke dagen die er rond de feestdagen waren geweest, en ongerust keek ze naar haar vader. 'Waarschijnlijk maak ik van een mug een olifant, vader, maar ik voel me angstig als die man in de buurt is.'

De oudere man haalde zijn schouders op. 'Zelfs al heeft hij mogelijk minder eerbare bedoelingen, het is uiterst onwaarschijnlijk dat hij pal onder de neus van zijn schoonvader rottigheid wil uithalen,' bromde hij. En wat hem betrof was daarmee de kous af.

Huib zag er opgeruimd en gebruind uit toen hij die zaterdagmiddag fluitend binnenstapte. 'Je bent laat,' bromde zijn moeder, en het was zichtbaar dat ze zich in moest houden om de verloren zoon niet om de nek te vliegen, maar ze waren in hun gezin nooit zo gewend aan dergelijke openlijke uitingen van aanhankelijkheid. Metje besefte dat haar broer al lang en breed eerst ergens anders was geweest en dat dit zeer zeker aan zijn goede humeur had bijgedragen. Niettemin pakte hij zijn moeder vast en gaf haar twee klapzoenen op beide wangen, zodat moeder Huisman tranen in haar ogen kreeg en toch haar armen om haar zoon heen sloeg. 'Je weet niet half hoe erg ik je heb gemist,' hakkelde ze en ze barstte nog net niet in huilen uit. 'Blijf je voortaan hier, jongen?'

'Nee, moe, ik ga maandagmorgen met de eerste tram weer terug naar de stad, en ik heb toestemming gekregen om iets later op mijn werk te komen, op voorwaarde dat ik de verloren tijd die avond alweer inhaal.'

Vader luisterde zwijgend toen Huib vertelde over zijn werk, over het adres waar hij logeerde, over het feit dat hij het eigenlijk best naar zijn zin had in die grote, bruisende stad, al had hij dat als plattelandsjongen nooit gedacht. Pas tegen de tijd dat zijn moeder de aardappelen opzette, scheen hij het tijd te vinden voor een openhartig gesprek. 'U begrijpt dat ik vanavond weer naar Inge ga, vader?'

Een vuist belandde met machteloze kracht op tafel. 'Is dat nu nog niet afgelopen?'

'Nee, vader. Sterker nog, haar vader is inmiddels overtuigd geraakt van de oprechtheid van onze gevoelens voor elkaar en hoewel zeker niet van harte, is hij inmiddels toch wel bereid zijn toestemming te geven voor een huwelijk. Hij wil, ik zal eerlijk zijn, voorkomen dat zijn dochter ongehuwd zwanger zal raken. Ik heb hem verzekerd dat ik haar dat ook niet aan wil doen, maar een mens is maar een mens, dat weet u ook wel. Ik zou het erg op prijs stellen als u zou willen overwegen om morgen de familie op de koffie te ontvangen en de netelige kwestie openlijk met elkaar te bespreken.'

'Nooit niet!'

'Vader, ik geef Inge niet op. U kunt het hooguit nog tegenhouden tot we oud genoeg zijn om zonder uw toestemming naar het gemeentehuis te gaan, maar uiteindelijk wordt ze uw schoondochter en ik vraag u dan ook dringend, om ook om moeder te denken. Ze heeft me gemist. Ik haar ook. Ik kan mijn gevoelens niet veranderen. Ik zet Inge niet aan de kant om een passend maar liefdeloos huwelijk aan te gaan.'

'Nooit,' bromde haar vader nogmaals, terwijl hij opstond om een extra borreltje in te schenken.

'Nee, ik niet,' antwoordde Huib. 'Ik wil mijn kop helder houden. Ik vraag u toch er een nachtje over te slapen en het vanavond, als ik bij Inge ben, nog eens met moeder te bespreken. Inge komt waarschijnlijk naar de stad om er een dienstje te gaan zoeken, zodat we elkaar wat vaker kunnen zien. Ik zou een huis kunnen krijgen via mijn baas, als we gaan trouwen. Maar ik besef dat dit niet kan als u op uw standpunt blijft staan. Het gaat om mijn levensgeluk, vader. Alstublieft! Nu ga ik even langs bij Cees en Antje. Die heb ik ook al veel te lang niet gezien. Daarna ben ik vanzelfsprekend bij Inge.'

Die avond werd er zwijgend gegeten. Hilly keek angstig van haar vader naar haar moeder. Vader kauwde zwijgend en met een strak gezicht de ene hap na de andere fijn. Moeder zat met gebogen hoofd aan tafel en schoof lusteloos haar eten zomaar wat heen en weer. Ze leek nauwelijks trek te hebben, wat zeer ongewoon was voor haar. Metje wist dat ze

149

zwijgen moest, want elk woord dat ze zou zeggen, hoe onschuldig ook, zou bij haar vader verkeerd vallen, omdat hij elke aanleiding zou aangrijpen om zijn opgekropte onvrede en machteloosheid te uiten.

Het was haar moeder die ten slotte haar vork neerlegde en opkeek. 'We moesten het maar proberen, vader.' Het was een halve zucht en een halve snik.

'Wat?'

'Die mensen leren kennen, dat is wat Huib momenteel van ons vraagt. Misschien zijn het goede christenen, net als wij. Misschien houden ze veel van Inge en willen ze het beste voor haar, maar weten ze zich ook met de situatie geen raad.'

'Nooit.'

'Alsjeblieft.'

Metje had haar moeder nooit om iets horen smeken en voelde een rilling over haar rug lopen. Hilly schoof haar bord weg en kroop in de bedstee, wat ze altijd deed als ze bang was of verdriet had. Izak stond op en liep naar buiten, onder het mom dat hij ook nog even bij Cees ging kijken. Metje had het gevoel dat ze haar moeder moest blijven steunen.

'Ik heb Inge ontmoet en ze is inderdaad lief en aardig. Ik denk dat moeder gelijk heeft,' waagde ze het op te merken, wat haar een boze blik opleverde van de een en een dankbare van de andere.

'Als u het nu goed vindt, kan ik wel even naar Timmers toe gaan en vragen of ze morgenochtend na de kerk op de koffie willen komen.'

'Dan zal iedereen het zien.'

'Ja, vader, en dat is niet leuk. Maar misschien is het wel het beste.'

'Huib is meer dan duidelijk, hij geeft dat meisje niet op en zal vroeger of later toch zijn zin krijgen. Dus of we de schande nu over ons heen laten komen of later, komen doet het toch,' knikte haar moeder.

'Ik wil het niet, maar als ik niet toegeef, valt alles uit elkaar... Bedoel je dat?'

'Is dat al niet gebeurd? Huib woont ver weg. Ik wacht in angst en beven af, of er over een paar weken, of na dit bezoekje, geen bericht komt dat een huwelijk noodzakelijk is geworden. En als Inge naar de stad gaat, zal ik er helemaal geen rust meer van hebben. Kunnen de mensen beter praten over de schande dat onze zoon is getrouwd met een meisje van de verkeerde kerk, of van de schande dat hij haar zwanger heeft gemaakt zonder dat ze getrouwd zijn, waarna ze voor het front van onze kerk en misschien ook wel in die van haar, in het zicht van Jan en alleman hun zonde moeten bekennen en er spijt van moeten betuigen?'

Ze had het niet verwacht, maar haar vader zei: 'Het moet dan maar, al blijf ik er fel tegen. Misschien komt Huib nog bij zinnen, voor het te laat is.'

'Mogen ze morgen echt op de koffie komen?'

'Alleen om ze te leren kennen,' bromde haar vader. 'Ik zit kennelijk klem. Ga het hem maar zeggen, Metje. Blijkbaar ben jij daar vaker over de vloer geweest.'

Ze stond al op en rende door de paar straten. Zo groot was het dorp immers niet.

Huib keek haar vragend aan toen ze hem een paar minuten later opgewonden aankeek. 'Vader heeft gevraagd of u allemaal morgenochtend na de kerk koffie wilt komen drinken om de netelige kwestie met elkaar te bespreken.' Ze struikelde bijna over haar eigen woorden. 'Moeder heeft hem bewerkt en dit is een hele stap voor hem.'

Huib had nog nooit zo opgelucht gekeken, ze kreeg een zoen van Inge en voelde zich licht en vrij toen ze even later heel wat bedaarder terugliep naar hun eigen huis.

Opnieuw werd onverwacht haar arm vastgepakt en kon ze met geen mogelijkheid loskomen. Ontzet keek de in de ogen van Koen Brouwer. 'Nee maar, wat doet dit lekkere kippetje zomaar helemaal alleen op straat, nu de schemering al begint in te vallen?'

15

Zijn adem rook naar drank. Zou hij soms in de kroeg hebben gezeten? Dat ze hier vanavond liep was immers puur toeval? Deze keer kon er geen sprake van zijn dat hij haar welbewust opgewacht had.

Metje haalde diep adem en keek de man toen strak en misschien zelfs minachtend aan. 'Wilt u mij meteen loslaten, mijnheer Brouwer?' vroeg ze zo kalm mogelijk en ze probeerde dapper haar schrik te verbergen.

Hij lachte haar vierkant uit. 'Wie denk je eigenlijk wel dat je bent? Meisjes als jij hebben niets te willen en...'

Achter hem ging een deur open en de bewoner van het huis, Willem Blok, kwam naar buiten. 'Metje, wat is er aan de hand? Waarom pakt die man je vast?'

De zware mannenstem had meteen effect. Ze werd prompt losgelaten. Brouwer keerde zich schichtig om, nam de man in versleten kleren geringschattend op en zei toen met ijzige stem dat de man zich niet moest bemoeien met zaken die hem niet aangingen, maar dat hij slachtoffer was van een brutale jonge meid, die hem lastigviel.

'Zal ik even met je meelopen, Metje?' vroeg de man kalm, terwijl hij de woorden van Brouwer volkomen negeerde.

'Graag,' hakkelde ze, vuurrood geworden. Ze keurde Brouwer geen blik meer waardig. 'Dank u,' antwoordde ze een paar minuten later, toen Willem met haar hun eigen straat in liep.

'Tot je dienst. Pas een beetje op, Metje.'

Ze knikte. Wat kon ze anders zeggen of doen?

Eenmaal binnen was de sfeer gespannen en bedrukt. Ze zakte op de keukenstoel waar ze altijd zat. 'Ze komen, vader. Ik wil nog wat zeggen. Nu de dochter en schoonzoon van mijnheer De Beijer bij hen logeren en blijkbaar langere tijd daar blijven, ik bedoel... tja. De schoonzoon viel mij met Kerstmis al eens lastig, en nu net op straat weer. Gelukkig zag Willem Blok het en besefte hij dat er iets niet klopte. Hij is met me meegelopen naar huis, voor de veiligheid, ziet u. Maar nu ben ik bang. Wat kan ik ertegen doen? Het tegen mijnheer zelf zeggen? Hij zou het nooit geloven! Vader, kunt u er niet met hem over gaan spreken?'

'Ik zit niet op nog meer moeilijkheden te wachten, Metje! Stel je voor, ik werk op de suikerfabriek! Ik kan de directeur hier niet op aanspreken, wat denk je wel? Met Kerstmis heb je er nauwelijks iets over gezegd, dus blijf er niet over doorzeuren! Blijf gewoon uit de buurt van die man, en als hij je bang maakt, kan Izak je op komen halen. Warempel, denk eens wat minder aan jezelf! Ik denk niet dat je beseft hoe moeilijk de kwestie rond Huib voor je moeder en mij is.'

Van haar vader hoefde ze geen hulp te verwachten, begreep ze. Huib zou maandag weer naar de stad gaan. Izak kwam haar voortaan om zeven uur ophalen, maar haar broertje was pas veertien en op geen stukken na zo geslepen als mijnheer Brouwer. Ze werkte best met plezier in het huis van de familie De Beijer, maar nu zou dat anders worden. Maar zomaar opzeggen, dat was onmogelijk. Het was eerder waarschijnlijk dat de man ging beseffen dat ze nooit in zou gaan op wat hij met haar probeerde en dat de situatie door hem zo verdraaid zou worden, dat zijn schoonvader haar beladen met schande op staande voet zou wegsturen.

Die nacht sliep ze opnieuw slecht, bang voor wat haar de komende tijd te wachten stond en ook ongerust over hoe het morgen eigenlijk moest gaan.

Ze voelden zich allemaal opgelaten, de volgende morgen na een kerkdienst, die wel een keer zo lang leek te duren als gewoonlijk het geval was. Moeder Huisman liet van de zenuwen de koffiepot bijna uit haar handen vallen. Ze was al heel vroeg opgestaan om koekjes te bakken, om een goede druk te maken op de koffiedrinkers straks. Ze was zenuwachtiger dan Metje haar ooit had gezien en vader zat maar op zijn stoel en zei helemaal niets, wat de sfeer in huis steeds bedrukter maakte.

Het was duidelijk dat de ouders van Inge zich net zo slecht op hun gemak voelden als Metje en haar moeder. Hilly was weer eens in de bedstee gekropen en Izak hing op straat rond, omdat hij merkbaar geen trek had in problemen. Huib stelde Inge voor, na haar een innige blik te hebben toegeworpen. 'Dit is ze dan, vader, moeder. Met haar breng ik de rest van mijn leven door.'

Hij leek er geen seconde aan te twijfelen, besefte Metje. Ze zaten nog maar net toen Cees en Antje onverwacht verschenen, maar aan de blik van verstandhouding die beide broers wisselden, werd voor Metje duidelijk dat Cees Huib steunde, en het was te zien aan de reactie van Inge dat dit niet de eerste keer was dat ze elkaar ontmoetten.

Even heerste er een ongemakkelijke stilte in de propvolle kamer, want het was zondag en dit was een belangrijke visite, dus zat iedereen op elkaar geprop in de klein uitgevallen mooie kamer. Inge lachte verlegen naar moeder Huisman dat het heerlijke koekjes waren. Het was een aandoenlijke poging om een goede indruk te maken, dat besefte Metje ook wel. Ze vond Inge aardig. Het was jammer dat ze niet van hun eigen kerk was, dan zouden al deze problemen er eenvoudig niet geweest zijn, en zouden de ouders van Huib zowel als Inge zelf allemaal blij zijn geweest met de keuze van hun kind.

Het was Cees die ten slotte het voortouw nam toen er een ongemakkelijke stilte viel, nadat iedereen zijn eerste kopje had leeggedronken en het voornamelijk Cees en Huib waren geweest die hun best deden, iets van een gesprek gaande te houden. 'Wel, we zitten hier niet omdat we dat zo graag willen,' begon hij. 'We zitten hier omdat Inge en Huib voor elkaar gekozen hebben, en omdat het verschil in geloof tussen hen in staat.'

Huib knikte nadrukkelijk. 'Niettemin gaan wij samen verder! Zij wordt mijn vrouw, ook al zouden we daar nog lang op moeten wachten. Maar liever trouwen we eerder. We begrijpen de problemen die u allemaal hiermee heeft, maar we weten beiden dat we elkaar niet op kunnen geven. Ik vraag dus beide vaders om toestemming om in de stad op het gemeentehuis met elkaar te mogen trouwen, zonder daar nog op te moeten wachten. We doen dat dan op een dag dat er gratis getrouwd kan worden, zonder feest, en hoe erg we dat beiden ook vinden, ook zonder kerk. Inge blijft naar haar kerk gaan en ik naar de mijne, en we hebben elkaar beloofd om de andere week met elkaar mee te gaan om het andere geloof te leren kennen. We willen elkaar ons eigen geloof niet opdringen.'

'Maar de kinderen moeten katholiek opgevoed worden, zegt mijnheer pastoor. Dan mag ik die toestemming wel geven.'

'We zullen de kinderen opvoeden in beide kerken, zodat ze, als ze ouder worden, zelf hun keuze kunnen maken,' hield Huib koppig vol. 'Dat lijkt ons het meest eerlijk naar de eventuele kinderen toe. Als ze ons geschonken mogen worden, tenminste.'

'Ik geef mijn toestemming alleen als je de kinderen protestants opvoedt,' bromde vader Huisman met een gezicht als een oorwurm. 'Dat ik jullie niet kan tegenhouden, besef ik ondertussen wel. Maar ik moet er niet aan denken paapse kleinkinderen te hebben! Jullie kunnen ze niet in beide kerken laten dopen, heb je daar weleens over nagedacht? En wat is je woord nog waard, dat je niet katholiek wordt als je eenmaal bent getrouwd? Dat kan ik onze dominee niet uitleggen, Huib. Je weet hoe ik erover denk. Zoek een andere vrouw, iemand van onze eigen kerk, dan is alles in orde.'

'Ik hou van Inge en kom niet op mijn keus terug, al besef ik dat dit in andere gevallen maar al te vaak wel gebeurt. Ik heb in de afgelopen tijd geprobeerd of ik zonder haar kan leven, maar dat gaat niet.'

De standpunten verhardden zich, stelde Metje geschrokken vast, en het was opnieuw Cees die na een blik met Antje te hebben gewisseld het voortouw nam. 'Ik denk dat beide vaders graag garanties hebben voor de toekomst, dat hun kinderen niet, zoals zij dat beiden ongetwijfeld zullen voelen, van het juiste pad afwijken en behouden blijven voor het eigen geloof. Maar ik zie ook twee jonge mensen die veel van elkaar houden, die door hun keus nu gedwongen zijn elkaar nauwelijks nog te zien en die daar beiden veel verdriet van hebben. De macht van de kerk op onze dorpse samenleving is groot en ik kom zelf in mijn leven al een heel eind door mensen van andere kerken niet te veroordelen en door niet te denken dat de leer van mijn eigen kerk beter is dan die van welke andere kerk dan ook. Uiteindelijk, zo zegt moeder het ook, geloven we allemaal in dezelfde God, ook al wordt Zijn woord door onze verschillende kerken anders beleefd. Zowel Inge als Huib willen recht doen aan die God, en eervol met elkaar een huwelijk aangaan. Als ze dat hadden gewild, hadden ze allang kunnen zorgen dat er wel getrouwd moest worden, omdat er een kind onderweg was. Gelukkig is dat niet het geval. Huib, Inge: Antje en ik staan achter jullie, hoe moeilijk de weg ook zal worden die jullie gekozen hebben te gaan. Vader, ik steun Huib en Inge, maar ik respecteer tevens onze kerk. Maar ik denk dat u er goed aan doet, hen de begeerde toestemming te geven, om problemen in de toekomst te voorkomen. Doe het moeder niet aan, verdriet te hebben omdat het contact met Huib mogelijk verloren gaat. En u beiden,' hij richtte zich tot het andere echtpaar, 'ik ken u verder niet, maar als Inge gelukkig is met mijn broer en tenminste nog zo nu en dan thuis kan komen, bent u dan ook niet gelukkiger, dan wanneer de kwestie niet wordt opgelost en u mogelijk het contact met uw dochter gaat verliezen?'

Je kind nooit meer zien, dat was een onoverkomelijk verdriet voor oudere mensen, en dan vooral voor moeders, wist Metje. Ze kende oudere vrouwen in het dorp van wie een kind was geëmigreerd naar Amerika, om daar een beter leven te krijgen, en het waren de achtergebleven moeders die een dergelijke klap nooit meer te boven kwamen, omdat het bijna net zo erg was als een kind verliezen aan de dood. Maar ook veronderstelde ze dat de kracht van het geloof groter kon zijn dan dat.

'Ik kan er wel achter staan, zoals ik al zei,' vond de vader van Inge, 'als de kinderen maar katholiek worden opgevoed, want dat eist mijnheer pastoor.'

'En als wij op hetzelfde standpunt staan, maar dan dat de

kinderen protestants moeten worden gedoopt en in onze eigen kerk belijdenis moeten doen, dan kan ik ook mijn toestemming wel geven.'

'U staat er beiden dus niet voor open dat we ze mee zullen nemen naar allebei de kerken?' vroeg Huib met teleurstelling in zijn stem. 'Ik kan beide standpunten begrijpen, maar er moet water bij de wijn worden gedaan van beide kanten, want dopen in twee kerken kan niet. Het beste dat Inge en ik kunnen beloven, is dat het om en om zal gebeuren.'

'Welke kerk eerst?' vroeg vader Huisman obstinaat.

Bij Inge liepen ondertussen de tranen over haar wangen. 'Het is niet op te lossen, Huib,' klonk haar zachte stem. 'Er zit niets anders op dan te wachten, en misschien wil ik dan helemaal niet meer naar een kerk gaan, niet naar mijn eigen kerk en niet naar die van jou. Dan moeten we onze kinderen maar goddeloos op laten groeien, want hierover wordt nooit overeenstemming bereikt.'

'Dat heb je al eens eerder gezegd,' knikte Cees. 'We kunnen het de vaders niet allebei naar de zin maken, dat is waar. Maar wat zeggen de moeders, telt hun stem niet mee?'

'Huib zegt steeds dat Inge een lief meisje is en dat hij veel van haar houdt. Ik wil mijn kind niet kwijtraken,' zuchtte moeder Huisman toegevend, wat haar een donkere blik van haar man opleverde, want de meeste mannen vonden nu eenmaal dat een vrouw te allen tijde achter hem hoorde te staan en zijn mening boven die van haarzelf hoorde te stellen.

'Goed.' Cees keek de beide oudere mannen om beurten recht aan. 'De standpunten zullen niet dichter bij elkaar komen te staan. Huib, probeer over een paar weken nogmaals te komen, als iedereen de tijd heeft gehad om hier over goed na te kunnen denken. Inge, wacht nog even met naar de stad gaan. Laten we de volgende keer dat mijn broer in het dorp is bij jouw ouders thuis koffiedrinken. Dan kunnen beide vaders ondertussen met dominee en pastoor praten, en misschien zover komen dat ze hun toestemming willen geven, niet om wat die ervan zullen vinden, maar omdat ze zelf inzien dat de liefde tussen die twee goed en mooi is en dat het geluk van hun kind het allerbelangrijkst is.' Cees stond op. De anderen deden dat eveneens. Moeder Huisman keek een tikje angstig naar haar man, die de hele verdere zondag zwijgend in een stoel bleef zitten. Er kwam geen woord meer over zijn lippen.

Die maandagmorgen was Metje voor dag en dauw opgestaan. Haar moeder eveneens. Huib nam met een aangeslagen gezicht afscheid. Moeder zei niet veel en Metje zei dat ze even met hem mee zou lopen naar de tramhalte. Huib schudde zijn hoofd. 'Blijf maar hier.'

'Het geeft ons de gelegenheid nog even met elkaar te praten,' hield ze vol.

Hij knikte kort. 'Goed dan.'

Even later stonden ze buiten en begonnen ze te lopen. 'Het valt me zwaar, Inge weer achter te laten,' bekende hij. 'Het is moeilijker dan je kunt vermoeden, Metje.'

'Niet alle mensen leren een dergelijke diepe liefde kennen in hun leven, Huib. Dat alleen al is iets om dankbaar voor te zijn, en denk erom: ook als jullie nog moeten wachten, er is toch een toekomst voor jullie samen.'

'Als het leven ons geen poets bakt! Hoe vaak worden mensen niet ziek en sterven ze te jong?' zuchtte hij somber.

'Die gedachten moet je niet toelaten, Huib. Ik zal voor jullie bidden, dat beloof ik je.'

'Er komen heel veel verzoeken terecht, daarboven,' meesmuilde hij opstandig.

'Goed zo, ik zie een glimlachje.'

'Cees en Antje zijn op onze hand, Timmers is wel geneigd om ten slotte maar toe te geven, omdat hij bang is dat zijn dochter oneervol moet trouwen. De houding van de pastoor is te begrijpen. Onze dominee zal ook niet anders doen dan proberen ons bij de kerk te houden en ik kan het hem niet eens kwalijk nemen. Het is dus voornamelijk van vader afhankelijk, want moeder is alleen maar bang mij kwijt te raken.'

158

'Als er echt ruzie van komt, wordt het moeilijk om nog thuis te komen, Huib.'

'Hoe vaak zijn moeders er niet het slachtoffer van, als een of andere kwestie vaders en zonen uit elkaar drijft?'

'Ze horen achter hun man te blijven staan en willen tegelijkertijd geen kind kwijtraken. Dat is hard, Huib. Een onmogelijk dilemma.'

Hij knikte kort. 'Let een beetje op moeder, als je wilt.'

'Natuurlijk doe ik dat. Mag ik je ook eens een brief schrijven? Misschien heb ik binnenkort ook wel een dienstje in de stad nodig.'

'Waarom dat?'

In een paar zinnen vertelde ze hem van de moeilijke situatie waarin ze door het gedrag van mijnheer Brouwer terechtgekomen was. 'Dat is niet best,' mompelde Huib. 'Verdorie, en ik zit te ver weg om iets voor je te kunnen doen. Als je geen werk meer hebt, kom dan maar naar me toe. In de stad zijn veel meer mogelijkheden dan hier, Metje. Er zijn veel fabrieken gekomen, waar ook jonge vrouwen werken, die er een best loon verdienen.'

'Maar moeder…'

'Ik begrijp het. Wel, we moeten afscheid nemen. Over niet al te lange tijd kom ik terug. Jammer van het geld van de reis, maar niet alleen jij en moeder hebben me nodig, ook Inge. Inge vooral.'

'Sterkte,' knikte ze. Toen ze zich omdraaide, stond Jan Huijbers ineens achter haar.

'Dat is lang geleden, Metje. Je broer vertrekt weer? Ik heb hem bij ons in de straat gezien.'

'Hij miste Inge en onze moeder en wilde hen graag zien.'

'Ik heb jou gemist, Metje.'

Zij hem niet, wist ze, maar toen dacht ze aan de penibele situatie waarin ze terechtgekomen was en zonder zich lang te bedenken, stelde ze hem de vraag die haar al langer had beziggehouden. 'Heb jij in Brabant weleens geruchten gehoord over mijnheer Brouwer, Jan? Hij valt me bij herhaling lastig en daar word ik erg zenuwachtig van.'

'Ik wil je altijd helpen, Metje,' bood hij prompt aan. 'Maar in de fabriek doet het gerucht de ronde dat mijnheer Brouwer daar een baan krijgt.'

'Wat deed hij eigenlijk? Kennelijk heeft hij nu geen werk meer.'

'Hij was klerk op een notariskantoor. De notaris van De Beijer. Zo heeft hij juffrouw Adèle leren kennen. Het schijnt een geslepen man te zijn. Er is weleens over het een of ander gepraat toen ze pas waren getrouwd, maar dat duurde maar even, en niet veel later was de dochter van mijnheer De Beijer zwanger. Dus het is goed gekomen. Houd afstand, zou ik zeggen. Zal ik je vanavond op komen halen, als je liever niet alleen over straat gaat?'

'Dat doet Izak al,' kon ze tot haar opluchting antwoorden. 'Jan, als je eens wat hoort, laat het me dan weten, wil je?'

'Graag,' glimlachte hij, en met een vervelend gevoel realiseerde ze zich dat ze dat ze hem hiermee nieuwe hoop had gegeven.

Ze ging nog even naar huis om haar schort voor te gaan doen. 'Huib zit in de tram, moeder,' troostte ze de oudere vrouw die lusteloos aan de keukentafel zat. 'Misschien geeft vader alsnog toe, en dan zij uw zorgen voorbij,' troostte ze onhandig, want haar moeder liet zo zelden iets van haar gevoelens zien.

'Hij blijft in de stad wonen.'

'Als ze getrouwd zijn en hij goed verdient, komen ze misschien wel elke maand hierheen, want Inge zal haar ouders ook graag willen zien. En u kunt sparen om naar Rotterdam te gaan en Huib op te zoeken. Probeer elke week een paar centen over te houden en spaar die op in een potje, tot er genoeg in zit om de tram te betalen.'

'Maar als vader dat niet wil?'

'Dan gaan we samen naar de stad, moeder. Ik wil daar ook weleens rondkijken.'

'Je gaat toch niet ook weg, hè?' vroeg de ander geschrokken.

'Niet zonder dat daar een goede reden voor is,' beloofde

ze grif, maar meer beloven dan dat kon ze niet doen.

Ze rende bijna naar het huis van de familie De Beijer. Ze was er bijna toen er alweer iemand onverwacht opdook.

16

Deze keer schrok ze niet, want het was slechts Meeuwis Tol en die keek haar onderzoekend aan. 'Wat hoorde ik in het dorp rondzingen, Metje?'

'Je bedoelt Huib?' vroeg ze met bonzend hart, en kwam dat enkel door het rennen, of misschien ook omdat ze zo verschrikkelijk tegen de komende dagen opzag?

'Ook dat, maar ik bedoelde eigenlijk iets anders. Ik hoorde van Willem dat je zaterdagavond lastiggevallen werd.'

'Jou ontgaat geloof ik ook helemaal niets!' Even was ze boos, maar vreemd genoeg verdween dat opkomende gevoel meteen en kwam er een zekere opluchting voor in de plaats. Ze kon het niet helpen, maar bijna tegen wil en dank begon ze hem te vertellen over het gedrag van Koen Brouwer en bekende ze haar angst en onzekerheid, over hoe ze daarvan verschoond moest blijven zonder problemen te krijgen met mevrouw en mijnheer De Beijer.

Meeuwis luisterde en grinnikte niet langer. Zijn ogen kregen een ernstige uitdrukking. 'Kan ik iets voor je doen, Metje?' vroeg hij toen kalm.

Ze haalde diep adem, want vreemd genoeg voelde ze opluchting nu ze erover had kunnen praten. 'Niet veel,' vreesde ze nadenkend. 'Ik heb het thuis verteld en Izak komt me voorlopig ophalen als mijn dagtaak erop zit.'

'Brouwer zal mogelijk smoesjes gaan verzinnen om je langer daar te laten blijven of je af te zonderen. Wees alsjeblieft op je hoede, Metje.'

Ze knikte. 'Dat doe ik ook. Ik weet nog van de vorige keer hoe doortrapt hij me in moeilijke situaties probeerde te brengen. Juist dat maakt me zo zenuwachtig. Ik denk er aldoor aan dat hij waarschijnlijk wel vaker dit soort streken heeft uitgehaald, Meeuwis, want die geruchten gaan er wel. Maar hoe kom ik daar meer over te weten? En waarom zoekt hij blijkbaar een andere baan?'

'Ik zal mijn oor ook eens goed te luisteren leggen,' beloofde hij. 'Bij de roomse huizen moet ik meer te horen krijgen, als er al eerder wat is gebeurd. En als ik iets kan doen, laat me dat dan weten. Echt, ik vind je bijzonder en mag je graag.'

Ze bloosde ervan en keek hem even onzeker aan. Het was niet voor het eerst dat ze rekening hield met de mogelijkheid dat Meeuwis iets meer in haar zag dan alleen maar een aardig meisje van dezelfde kerk. Maar zij zag dat niet in hem. Integendeel, ze had hem aldoor een grote bemoeial gevonden! Maar nu zat ze zo klem dat ze alle hulp wilde accepteren die ze maar krijgen kon!

'Jan Huijbers weet niet veel, dus veel zal er ginds niet over gepraat zijn,' aarzelde ze.

'Zie je Huijbers dan nog steeds?' Zijn blik was onderzoekend, afkeurend misschien wel, maar anders had ze niet verwacht.

'Ik kwam hem daarnet bij toeval tegen, Meeuwis. Net als jou. Dus doe daar niet vervelend over. Ik ben nu heel eerlijk: ik ga vanmorgen met angst en beven aan het werk.'

Hij knikte. 'Vertel het aan Vogelaar en de juffrouw. Zij kunnen daar in huis het meeste voor je doen.'

'Dat heb ik de vorige keer al gedaan, maar zij willen ook geen problemen krijgen.'

'Probeer het toch maar. Als hij weer iets probeert, moet je het me laten weten. Beloof je me dat? Als dat gebeurt, ben ik de eerste die praatjes over hem het dorp in zal sturen, Metje. Dan komt het uiteindelijk een keer bij mijnheer De Beijer zelf terecht en moet die iets verzinnen om de reputatie van zijn dochter te beschermen.'

Ze zuchtte en keek hem opgelucht aan. 'Het is allemaal heel vervelend, maar bedankt dat je me niet de les leest, maar wilt helpen, Meeuwis.'

Hij knikte kort. 'Ik heb het altijd goed bedoeld. Nu moet ik opschieten. De post moet gesorteerd worden voor ik die rond ga brengen. Laat je het echt weten, Metje, als ik iets voor je kan doen?'

'Natuurlijk,' beloofde ze, en zijn lach was dit keer breed. Voor het eerst voelde ze zich min of meer opgelucht. Ze had gedaan wat ze kon om zich tegen mijnheer Koen Brouwer te wapenen!

Die dag was de jonge schoonzoon met mijnheer De Beijer mee naar de fabriek gegaan en Metje begreep best dat de dochter helemaal niet in de gaten had wat haar man achter haar rug uitspookte. Mevrouw evenmin. Als ze al eens iets gedacht zou hebben, zou ze dat voor zich houden, besefte Metje. Ze vertelde de juffrouw wel wat er zaterdag was gebeurd en ze bekende ook eerlijk opnieuw bang te zijn geworden voor de jonge mijnheer, en dat haar broer haar daarom voortaan op zou komen halen. De juffrouw zag er overigens vermoeid uit, want het hele weekeinde was er zo vaak beroep op haar gedaan, verzuchtte ze aangeslagen, dat ze van de vroege morgen tot de late avond had moeten sloven, en dat viel niet mee nu ze wat ouder werd. Metje kreeg er een kleur van omdat ze zich prompt schuldig voelde dat ze zelf de zaterdagmiddag en de hele zondag vrij was geweest.

'De familie denkt dat u doorlopend tot hun beschikking staat en nooit iets voor uzelf nodig heeft,' begon ze een tikje moeilijk. 'Alleen als u er zelf iets van zegt, gaan ze misschien beseffen dat er eindelijk iets moet veranderen. Ik zou dat best voor u willen doen, maar dan sta ik binnen het kwartier op straat en hoef ik nooit meer terug te komen.'

De juffrouw knikte. 'Mijn man heeft dat al eens geprobeerd, maar het leek wel of mevrouw eenvoudig niet begreep waar het over ging.'

'Dan moet u het tegen mijnheer zelf zeggen. Dat heb ik na Kerstmis gedaan en toen begreep hij best dat ze meer om u hadden moeten denken.'

De juffrouw keek haar onverwacht recht aan. 'Jij gaat evenmin naar mijnheer om hem te vertellen dat de man van zijn dierbare dochter een schuinsmarcheerder is, voor wie je bang geworden bent.'

Nu had ze niet roder kunnen zien. 'Daarin hebt u gelijk, juffrouw Vogelaar. Personeel als wij moeten veel slikken, omdat we bang zijn geen werk meer te hebben, en wat moeten we dan?'

'Precies,' knikte de oudere vrouw. 'Wat moeten we dan? Moet ik soms op de zak van mijn zus gaan teren? Metje, laten we elkaar liever helpen, dat is het enige wat ik kan bedenken. Ik help je waar het de jonge mijnheer betreft door ervoor te zorgen dat ik steeds ergens binnenkom als hij in huis is en jou misschien probeert in het nauw te brengen, en jij helpt mij door mij te ontlasten.'

Metje keek opgelucht. 'Ik ben blij dat u het zelf aanroert. Ik ben zo bang geworden van die man!'

'Dat weet hij maar al te goed, meisje. Volgens mij heeft hij er zelfs plezier in, meisjes als jij angst aan te jagen. Misschien geeft het hem een gevoel van macht, en mannen kunnen ervan houden zich machtig te voelen. Dat hoort bij hun aard.'

Metje schudde haar hoofd. 'Ik weet het niet. Maar laten we het volgende afspreken. U past op mij en ik neem u zo veel mogelijk werk uit handen, zoals dat met Kerstmis ook gebeurde. Gaat u na het middageten een uurtje of twee rusten, dan zorg ik voor de thee. Vandaag is de jonge mijnheer met de oude mee naar de fabriek en daarmee is hij uit de buurt en ben ik dus veilig. Ik hoorde overigens geruchten in het dorp dat hij hier komt werken. Wat deed Brouwer eigenlijk tot voor kort?'

'Het is een man van twaalf ambachten en dertien ongelukken, Metje. Toen hij pas met de juffrouw omging, werkte hij op een notariskantoor. Toen ze nog maar kort getrouwd waren, nam hij daar ontslag en teerde hij een paar maanden op de zak van zijn vader en schoonvader. Daarna heeft hij het nergens meer lang uitgehouden, als hij al werkte. Mijnheer helpt hem steeds opnieuw, omwille van zijn dochter. Met zijn eigen vader schijnt er ook iets te zijn voorgevallen, waar ruzie van gekomen is.'

'Wel, als mijnheer pas na het huwelijk ontdekt heeft dat zijn schoonzoon wel erg veel op een klaploper lijkt, zal hij er wel spijt van hebben dat zijn dochter met hem is getrouwd.'

'Wat mijnheer weet of denkt, weet niemand. Zelfs mevrouw niet. En een huwelijk is nu eenmaal onomkeerbaar.'

165

Metje knikte. 'Izak komt me dus voortaan 's avonds ophalen. Om zeven uur, hebben we afgesproken. Mag hij dan in
de keuken op me wachten als ik niet meteen mee naar huis
kan?'
De juffrouw knikte. 'Natuurlijk mag dat.'
Metje glimlachte. 'Ik zal hem zeggen dat hij morgen pas
om acht uur hoeft te komen.'
De oudere vrouw keek opgelucht naar haar. 'Dat is lief van
je. Samenwerken op dit gebied is het beste wat we momenteel kunnen doen,' knikte ze met grote opluchting in haar
ogen. 'Elkaar helpen.'

Ze frommelde gespannen aan de punt van haar schort en toen
haar tranen zich niet lieten tegenhouden, droogde ze die ook
met haar schort weg.
Schorten waren noodzakelijke dingen. Ze hielden de kleren van de vrouwen schoon en vingen spetters en ander vuil
op, net zoals mannen werkkleding nodig hadden. Maar
schorten waren eigenlijk heel handige dingen. Alleen deftige dames zoals mevrouw De Beijer droegen zelden of nooit
een schort, hooguit als ze met handschoenen aan bloemen
gingen afknippen in de tuin. Moe had snel last van koude
handen in de winter, en als ze dan met iemand stond te praten rolde ze de onderkant van haar schort op, zodat ze haar
handen in het rolletje dat zo ontstond kon verstoppen. Metje
moest ineens glimlachen. Kleine kinderen verstopten zich
achter het schort van hun moeder als ze verlegen werden.
Moeder veegde met de punt van haar schort ook weleens
snel wat stof van de meubelen als ze bezoek aan zag komen.
Je kon er je handen aan afdrogen als ze nat waren geworden. En schorten waren gemakkelijker te wassen dan kleren! Als die schoon bleven, werden ze vaker gelucht dan
echt gewassen, want daar werden kleren niet mooier van.
Een schort was nu eenmaal veel goedkoper dan een nieuwe
japon.
'Wat is er aan de hand, Metje?' Juffrouw Vogelaar kwam
de keuken in na haar middagdutje, een paar dagen later.

166

Aangeslagen keek Metje de huishoudster aan. 'Het is weer mis, juffrouw. Mijnheer Brouwer overviel me bijna toen ik van Nelly even op de kleine moest passen omdat ze iets was vergeten wat ze nodig had voor ze naar buiten ging om te wandelen, en dat boven moest halen. Ik stond in de vestibule toen hij binnenkwam.'

'Hij was toch weer met mijnheer mee naar de fabriek?'

'Vanmorgen wel, maar hij is inmiddels weer thuisgekomen en niet meer weggegaan. Meteen begon hij me te bedreigen en te kleineren. Ik was een onfatsoenlijk meisje, zei hij. Ik moest me niet zo aan hem opdringen met mijn oneervolle bedoelingen. Nu vraag ik u! Ik weet juist niet hoe ik zo ver mogelijk uit zijn buurt moet blijven! Daarna probeerde hij me te zoenen en voor ik goed en wel besefte wat er gebeurde, gaf ik hem een klap in zijn gezicht. Woedend was hij! Ik zal wel op straat worden gezet, als mijnheer vanavond zijn versie van het voorval te horen krijgt!'

De juffrouw was op slag klaarwakker en keek haar ernstig aan. 'Ik vrees dat er tegen zo veel kwaadaardigheid niet veel te doen is, Metje.'

Ze knikte en er kwamen nieuwe tranen. 'Dat ik ontslagen word, is wel zeker. Dat ik hier niet langer de hele dag in de zenuwen hoef te zitten, zal echter een opluchting zijn. Maar mijn vader zal kwaad worden dat ik niet beter heb opgepast en ook denken dat ik wel aanleiding gegeven zal hebben, juffrouw Vogelaar.' Er kwamen een paar nieuwe tranen. 'We hebben het geld thuis hard nodig, ziet u, en ik zal een slechte naam krijgen, waardoor ik niet gemakkelijk een ander dienstje kan vinden. Hooguit bij mensen die zo slecht voor hun personeel zijn dat zij zelf ook niemand anders meer kunnen krijgen.'

'Kom, kom, niet meteen de moed opgeven. Het beste wat je kunt doen, is mijnheer eerlijk vertellen wat er is gebeurd.'

'Dat gelooft hij nooit.'

'Misschien, maar het is al eerder gebeurd, en als het in de toekomst opnieuw gaat gebeuren, zal er uiteindelijk wel een lichtje bij hem opgaan. Kom, ik sta achter je en dat zal ik zeggen ook, mocht mijnheer mij ernaar vragen.'

De juffrouw zelf hoorde hoe er 's avonds over Metje werd gepraat, terwijl ze aan tafel bediende. Later vertelde ze dat in de keuken. 'Brouwer beschuldigt je inderdaad, Metje, en het is duidelijk dat zowel mevrouw als haar dochter hem zonder meer geloven.'

Het duurde dan ook niet lang eer ze bij mijnheer moest komen in zijn studeerkamer. Met lood in haar schoenen ging ze naar binnen.

'Ga zitten,' knikte mijnheer stug. 'Ik heb gehoord dat er opnieuw klachten over je zijn, en ik wil uit jouw mond horen wat er precies is gebeurd.'

Ze dacht aan de woorden van de juffrouw, besefte dat haar eigen hachje door niets meer te redden viel en besloot inderdaad zo eerlijk mogelijk te zijn, zoals de juffrouw haar aangeraden had.

'Al met Kerstmis, toen uw dochter en schoonzoon hier logeerden, had ik problemen met mijnheer Brouwer, mijnheer, omdat hij andere dingen van een dienstbode lijkt te verwachten dan gebruikelijk is. Nu herhaalt zich dat.'

De oudere man keek haar scherp aan. 'Wat een overdachte woorden voor een meisje van eenvoudige komaf!'

'Ik heb sinds vanmiddag, toen mijnheer Koen mij opnieuw vastgreep en probeerde te zoenen, begrepen dat ik uw vragen zou moeten beantwoorden, mijnheer. Dus ik kon erover nadenken hoe ik dat zou formuleren. Ik besloot zo eerlijk mogelijk te zijn en ik besef ook dat het u zwaar zal vallen mijn woorden te geloven.'

'Je beweert dus dat mijn schoonzoon oneervolle dingen doet?'

'Zeker, mijnheer. Ook op straat is er al het een en ander voorgevallen, een paar dagen geleden nog. Daar zijn getuigen van, mocht u de behoefte krijgen er navraag naar te doen.'

'Zelfs al zou je gelijk hebben, dan zorgen mannen als Koen er doorgaans wel voor dat hun gedrag niet opgemerkt wordt.' Zijn ogen kregen een aangeslagen uitdrukking en

168

Metje begreep dat hij er al eerder van geweten had, of op zijn minst vermoedens van had gehad.

Ze bloosde. 'Tenzij ze zich onaantastbaar voelen vanwege hun sociale positie. Het spijt me dat ik het niet kon voorkomen, mijnheer De Beijer. Daar heb ik mijn best voor gedaan. Ik accepteer de onvermijdelijke gevolgen.' Ze slaakte een zucht.

Ze keken elkaar onderzoekend aan. Zijn blik was doordringend, de hare open en angstig.

'De secretaresse op de fabriek heeft ons als directie een paar weken geleden laten weten dat ze overbelast raakt, nu we deze campagne veel meer bieten te verwerken krijgen dan tijdens de eerste campagne. Ze verliest te veel tijd aan onbenullige zaken als het rondbrengen van koffie naar haar bazen, het ontvangen van gasten en voorkomen dat die ongevraagd onze kantoren binnen komen zetten. Ze heeft een hulpje nodig. Jij bent buitengewoon intelligent voor een eenvoudig meisje. Dat blijkt wel uit de gretigheid waarmee je probeert van alles te lezen te krijgen. Metje, wil je op de fabriek komen werken?'

Sprakeloos gaapte ze hem aan.

'Mijn schoonzoon ziet niets in suiker, als dat je gerust mocht stellen. En ik wil mijn dochter evenmin verdriet doen. Wat denk je van dit voorstel?'

'Maar... Mijnheer, ik ben sprakeloos!'

'Je had zeker gerekend op oneervol ontslag?'

'Ja, mijnheer.'

'Ik zit net als jij soms in een lastig parket. Je begrijpt wel wat ik bedoel. Als jij belooft te zwijgen over de werkelijke aard van je vertrek hier en je overstap naar een andere baan op de fabriek, dan doe ik dat over het gedrag van mijn schoonzoon. Iedereen gelukkig, dacht ik zo.'

'Zeker, mijnheer.'

'Mooi, dan is dat afgesproken. Je gaat het dubbele verdienen van wat je nu krijgt, maar moet wel leren keurig nette brieven te schrijven en Conny Vermeulen, de secretaresse, zal zeker niet gemakkelijk zijn voor een ondergeschikte,

want ze is een perfectionist die niet snel tevreden is.'
'Mag ik echte brieven gaan schrijven voor de fabriek, mijnheer?'
'Als je een mooi en duidelijk handschrift hebt, zeker wel. Je kunt dan de standaardbrieven overnemen en dan heeft juffrouw Vermeulen meer tijd voor de ingewikkelde brieven. Morgenochtend moet je om negen uur op de fabriek zijn. Ik zal de juffrouw op de hoogte stellen voor je komt.'
Ze knikte, en toen ze al bijna bij de deur was, keerde ze zich om. 'Maar juffrouw Vogelaar... Mijnheer, ze kan al die drukte niet in haar eentje aan. Het is echt te veel voor haar en als ik haar niet meer helpen kan...'
'Ik zal haar vragen wat ze zelf voor oplossing ziet. Bovendien krijgt mijn dochter morgen te horen dat de logeerpartij een begin en een einde heeft, en dat ze nu lang genoeg is geweest. Ik moet alleen nog bedenken hoe ik dat allemaal ga zeggen, zodat niemand zich onnodig gekwetst voelt en ook mijn vrouw zich erbij neer zal leggen.'
'Dat lukt u vast wel, mijnheer,' glimlachte ze, en ze schrok er zelf van omdat dit natuurlijk veel te amicaal was tegen een deftige man als de fabrieksdirecteur.
Stralend kwam ze even later de keuken in, waar Izak al op haar zat te wachten. De juffrouw gaapte haar stomverbaasd aan. 'Gooit mijnheer zijn schoonzoon eruit? Niet te geloven!'
'Ik ga op de fabriek werken, en u krijgt weer hulp,' juichte ze bijna. En hijgend van emotie en opwinding vertelde ze wat ze zou gaan doen, voor ze met Izak mee naar huis holde.
Toen ze thuiskwam, zaten Cees en Antje met blije gezichten in de keuken. 'We worden toch opa en opoe,' glimlachte haar moeder verheugd. 'Na de tegenslag van begin dit jaar verwacht Antje opnieuw een kind. Wat een zegen, Metje. Laten we er allemaal voor bidden dat dit keer alles goed mag gaan.'
Ze knikte en was verwonderd dat deze dag toch zo plezierig werd afgesloten. 'Ik heb ook goed nieuws. Mijnheer heeft me een andere baan aangeboden in de fabriek.'

170

'In de fabriek? Moet je soms bieten gaan lossen?' vroeg haar vader schamper. 'Ander werk is er niet voor vrouwen.' 'Ik word het loopmeisje van de secretaresse,' vertelde ze trots. 'En ik ga het dubbele verdienen.' Dat laatste scheen alles goed te maken. 'Waarom jij?' vroeg haar vader nog verbaasd. 'Omdat ik leergierig ben, zegt mijnheer.' 'Dan werkt zo ongeveer ons halve gezin in de fabriek,' glimlachte moeder. 'Ik ben blij voor je, meisje. Je hebt een goed stel hersens en misschien kun je nog ver komen.'

Maar toen ze die avond na alle opwinding niet in slaap kon vallen en een halfuur nadat ze naar de bedstee was gegaan alweer moest plassen, werd ze buiten vlak voor het huisje tegengehouden door een man die haar neerbuigend uitlachte. 'Denk maar niet dat jij aan het langste eind trekt.'

17

'Nu is er geen ontsnappen aan,' hijgde Koen opgewonden en blijkbaar opnieuw met een slok te veel op, want hij rook naar drank.

Metjes hart stond bijna stil van schrik. Het was laat, al halftien geweest. De meeste mensen lagen op dit tijdstip in de bedstee om te slapen en krachten op te doen voor een nieuwe werkdag.

Met bonkend hart en grote angstogen keek ze in het vertrokken gezicht van die kwaadaardige man. Haar hart ging zo tekeer dat ze dacht dat het ongezond moest zijn. Overal om haar heen was het stil en donker. Wat was dat toch, de laatste tijd? Vroeger was ze nooit bang geweest om in het duister nog naar buiten te gaan, maar voorlopig zou ze dat niet meer durven doen.

Nooit eerder in haar leven was Metje zo bang geweest. Ze hapte naar adem en hij lachte gemeen, niet in het minst onder de indruk. 'Meisjes als jij hebben nu eenmaal niets te vertellen, zeg ik je. Iedereen kijkt op jullie neer! Je mag vereerd zijn dat een deftige heer als ik ben, een beetje aandacht aan je wil besteden.'

Hij was gek, flitste het dwars door al die angst heen. Het was idioot, als een man van zijn stand werkelijk dacht dat de hele wereld om hem heen draaide! Ineens stelde ze vast dat de angst minder werd door die gedachte en ze rechtte haar rug. Strak keek ze hem in de ogen. Omdat het bijna volle maan was, kon ze de akelige blik erin zien. Hij heeft werkelijk een klap van de molen gehad, dacht ze toen. Hij denkt echt dat hij het recht heeft om over mensen met minder geld, macht uit te oefenen. Haar angst werd nog een stukje minder. Er verscheen minachting in haar ogen, wist ze, want dat was wat ze nu voelde. 'Mijnheer Brouwer, als u mij niet per direct loslaat, gil ik de hele buurt bij elkaar! Dan zet mijnheer De Beijer u meteen zijn huis uit.'

Hij vertrok zijn gezicht. 'Heb het lef niet! Wie zou jou nu geloven?'

'Genoeg mensen weten inmiddels van uw gedrag af.' Ze gaf een ruk aan haar arm, maar hij was sterker en omdat ze haar mond opende om het daadwerkelijk op een gillen te zetten zodat ze alarm kon slaan, legde hij zijn hand strak op haar mond, zodat ze bijna geen adem kreeg. Met zijn lichaamskracht trok hij haar mee, de steeg door, de straat in, waar het al net zo donker was. Er waren nog niet zo lang geleden een aantal gaslantaarns gekomen in het dorp, maar die verlichtten slechts de paar belangrijkste straten. Ze werd een beetje duizelig omdat zijn strakke hand half over haar neus lag en ze daardoor bijna geen adem kreeg. De angst laaide weer op. Het was waar, lichamelijk was hij sterker dan zij en ze had hem woedend gemaakt met haar opmerkingen, die hij blijkbaar als ongepast beschouwde voor een doodgewone dienstmeid.

Ze struikelde toen hij een onverwachte beweging maakte, maar ineens liet hij haar los en vloog er een vuist vlak langs haar heen. Even later lag mijnheer Koen op de grond en keek ze recht in de ogen van Meeuwis. Meteen wankelde ze zelf ook op haar benen en met tranen van opluchting in haar ogen lag ze even later in zijn armen. 'Ik ben nog nooit zo blij geweest je te zien,' mompelde ze immens opgelucht.

'Ik zag hem daarnet een tikje onvast op zijn benen deze straat in lopen. Toen ben ik hem gevolgd omdat hij je al eerder lastiggevallen heeft. Gaat het?'

Ze knikte, en verstrakte toen de ander weer overeind krabbelde.

Meeuwis liet haar los en plantte zijn armen in Koen Brouwers zij. 'Naar huis, jij.'

'Zo spreekt u geen heer aan!' bromde Brouwer, terwijl hij weer omver rolde, misschien door de dreun die hij had gekregen of mogelijk door de hoeveelheid drank die hij eerder tot zich genomen had.

'Opstaan en wegwezen, voor iedereen in de buurt hier wakker wordt. Uw schoonvader zou zich dan van schaamte nauwelijks nog in de fabriek kunnen laten zien!'

Op dat moment was de deftigheid bij de ander ver te zoe-

173

ken en hij mompelde iets onduidelijks. Metje en Meeuwis zagen hem even later toch weer overeind komen en de straat uit waggelen.

'Gaat het weer?' wilde Meeuwis weten.

Ze voelde zich nog steeds slapjes en besefte helemaal van streek te zijn. 'Gaat wel,' mompelde ze. 'Ik begrijp het niet, Meeuwis.' Ze dempte haar stem tot zachte fluistertoon, terwijl zijn ogen scherp volgden of de andere man inderdaad weg was gegaan om al dan niet naar het huis van zijn schoonvader te gaan of mogelijk zelfs terug naar de kroeg.

'Over zijn herhaalde kroegbezoeken, het dronken worden en de neerbuigende toon die hij tegen arbeiders aanslaat, doen al dagen geruchten de ronde in het dorp, Metje. Het is een onaangenaam heerschap en zijn schoonvader zal er toch iets tegen moeten doen.'

'Er wordt dus over hem gepraat?'

'Reken maar!' Meeuwis leek er gerustgesteld over dat de ander niet meer terug probeerde te komen en zijn ogen namen haar onderzoekend op. 'Wat deed jij zo laat nog buiten?'

'Ik moest nog even naar het huisje,' fluisterde ze bijna. 'Ik kon niet slapen en...'

'Jullie hebben toch net als iedereen een po binnen?'

Ze knikte stil. 'Zo laat was het nog niet. Ik lag maar te woelen en dan is even de buitenlucht in wel lekker.'

'Dom.'

'Misschien, maar Meeuwis, je staat er toch niet bij stil wat iemand voor slechte gedachten kan hebben?'

Hij zuchtte en leek zich eindelijk ook weer te ontspannen. 'Het zal wel niet. Kom mee, je moet niet te lang buiten blijven. Waarom kon je niet slapen? Ik heb gehoord dat je weer met Huijbers gezien bent?'

'Ik heb niets met hem, als je dat soms mocht denken. Dat heb ik al gezegd en blijkbaar heb je moeite om dat te geloven, maar het is echt waar. Ik heb dat ook nooit gehad. Zijn belangstelling was er wel degelijk, maar het kwam alleen van zijn kant. Gelukkig maar, overigens, want na Huib en

Inge zou ik het niet durven, om thuis te komen met iemand die naar een andere kerk gaat.'

'O, het hart laat een mens gemakkelijk andere keuzes maken dan het hoofd,' mompelde hij. 'Ga naar binnen. Ik wacht nog even, mocht dat heerschap erover denken toch weer terug te komen. Met zo'n dronken, zelfingenomen kwast weet je het uiteindelijk nooit. Doe de deur op de knip als je klaar bent.'

'Waarmee?'

'Je moest toch... Je weet wel?'

Ze deed dat waarvoor ze uiteindelijk de bedstee uit was gekomen.

Even later keek ze Meeuwis recht in de ogen. 'Ik ben je zo dankbaar, Meeuwis,' fluisterde ze. 'Echt.'

Zijn ogen keken haar doordringend aan op een manier die ze herkende van Jan Huijbers.

'Dankbaarheid is wel het laatste wat ik wil,' klonk het stug, 'maar ik begrijp het. Ga nu maar naar binnen. En ga voortaan niet meer naar buiten na bedtijd.'

Ze aarzelde. Op dat moment drong het ten volle door dat Meeuwis iets voor haar voelde en dat bracht haar in de war. Of was het uitsluitend dankbaarheid die haar dat deed denken? Ze wist het niet. Ze wist niets van dergelijke heftige gevoelens af. Maar Meeuwis?

'Ja, Metje, ik denk er heel anders over, maar ik ben een geduldig man en misschien ga jij er ooit, ooit anders over denken. Ik heb geleerd geduld te hebben. Ik zal over het voorval van vanavond zwijgen, maar pas in vredesnaam beter op.'

'Ik wil je nog wat vertellen.'

Hij bleef staan en de blik in zijn ogen veranderde weer. Er kwam warmte in, begrip, hoopte ze. Dus vertelde ze wat er eerder was voorgevallen en dat mijnheer haar, om verdere moeilijkheden thuis te voorkomen, een andere baan had aangeboden op de fabriek.

'Maar dat is mooi,' glimlachte hij even later en deze keer keek hij hartelijk en oprecht blij voor haar. Haar gevoelens waren een mallemolen van verwarring geworden. Het zou nog weleens lang kunnen duren voor ze vanavond de slaap kon vatten, en morgen moest ze zich om negen uur bij de fabriek melden!

Ze ging op een gammel tuinbankje zitten. Hoe laat het inmiddels was, wist ze niet. Meeuwis ging na een lichte aarzeling naast haar zitten, maar hij bleef ver genoeg van haar af zitten om haar niet aan te raken.

'Je leest graag. Een van de dingen die mensen over jou vertellen, is dat ze het maar vreemd vinden dat je de krant van de familie mee naar huis neemt om te lezen.'

'Ik mag altijd boeken lezen. Soms van mijnheer, meestal van mevrouw, die graag romans leest, al zegt vader dat romans leugens op papier zijn. Het maakt niet eens uit wat ik lees, het is altijd een goede oefening. Straks op de fabriek mag ik eenvoudige brieven gaan schrijven, zei mijnheer. Hij is een goede man, Meeuwis. Jammer dat hij zo'n afschuwelijke schoonzoon heeft. Waarschijnlijk maakt hij zich grote zorgen om zijn dochter.'

'Een huwelijk is voor altijd, Metje. Juist daarom is het zo belangrijk dat mensen de juiste keuze maken.'

'Huib en Inge houden van elkaar. Zo'n liefde zie je zelden, en is misschien maar voor weinigen weggelegd.'

'Maar ik moet nog zien of ze wel gelukkig worden,' dacht hij. 'Zo verschillend denken over de manier waarop God moet worden gediend, dat is niet gemakkelijk te overbruggen.'

'Overwint liefde niet alles?'

'In boeken misschien,' dacht hij. 'Maar de realiteit lijkt me hardnekkiger. Hoe vaak zullen ze niet van mening verschillen, als er eenmaal kinderen moeten worden opgevoed? Als Inge in de stad haar familie gaat missen? Voor mannen telt dat doorgaans wat minder zwaar, tenzij het om een moederskindje gaat, maar Inge komt uit een warm nest.'

'We zullen het moeten afwachten, maar ze geven elkaar niet op, daar ben ik vast van overtuigd.'

'Ik ook,' glimlachte hij. 'Maar of ze op de lange duur

gelukkiger zijn dan mensen die met meer verstand voor hun levenspartner hebben gekozen? Dat valt nog te bezien! Niettemin, Metje, heb ik gevoelens voor jou, en ik weet dat je mij maar een vervelende bemoeial vindt, maar het is er wel.'

Ze keek hem vragend aan. 'Ik heb het weleens gedacht en inderdaad, je scheen steeds op te duiken als ik je liever niet zag en je bemoeide je met zaken die je niet aangingen, maar ik heb werkelijk nooit overwogen om verder te gaan met Jan Huijbers.'

'Hij wilde dat wel en je liet je zijn aandacht graag aanleunen.'

'Ik ben niet gewend veel aandacht te krijgen, zoals Hilly bijvoorbeeld begint te krijgen.'

'Jouw zusje is inderdaad een schoonheid aan het worden, maar ook dat is geen garantie voor een gelukkig leven.'

'Jan bedoelde het goed. Ik weet dat zijn tussenkomst ertoe heeft bijgedragen dat Izak zijn baantje kreeg.'

'Mogelijk wel, en dat is plezierig voor jullie allemaal.'

Ze knikte. 'Maar hij weet dat er verder nooit iets tussen ons zal zijn.'

'Ik hoop het. En hoe zit het nu met ons, Metje?'

Ze bloosde, maar omdat het zo donker was, kon hij dat natuurlijk niet zien. Ze stond weer op. Het werd toch een beetje te kil om lang in het donker buiten te zitten. 'Ik heb nooit op die manier over je gedacht,' weerde ze af. 'Dat heb je zelf dus al gemerkt.'

Hij knikte en stond eveneens op. 'Misschien verandert dat nog, misschien ook niet. Als je me weer ziet, hoop ik dat je erover nagedacht hebt, Metje. Jij en ik zijn van dezelfde kerk. Ik heb je al lang heel hoog zitten. Je vader zou er blij mee zijn. Maar als jij je er niet goed bij kunt voelen, houdt het natuurlijk op. Ga nu maar naar binnen. Als dat heerschap je lastig blijft vallen, mogelijk met gemene woorden of zo, laat het mij dan weten.'

Voor ze iets terug kon zeggen, was hij al verdwenen en opgeslokt door de duisternis. De kat van de buren streek klaaglijk mauwend langs haar benen. Ze aaide het diertje even voor ze weer naar binnen ging.

In de bedstee lag ze inderdaad nog een hele tijd wakker, en bedacht ze dat ze hem niet eens had gevraagd wat hij zelf zo laat op de avond nog op straat had gedaan.

Ze was niettemin de volgende morgen al vroeg weer wakker geworden en met een zwaar hoofd opgestaan. Ze had hoofdpijn. De maandelijkse dagen dat ze daar meestal last van had, dienden zich weer aan.

'Is het weer zover?' vroeg moe dan ook nuchter, nadat ze een blik op Metje had geworpen. Ze was blij dat ze kon knikken en daardoor verder niets hoefde uit te leggen. Ze was als altijd al om halfzeven weg en juffrouw Vogelaar keek vreemd op toen ze even later de keuken binnenstapte. 'Ik help u graag even voor ik naar de fabriek ga.'

Het gezicht van de juffrouw zag bleek. 'Je bent een lief kind. Ik begrijp best dat mijnheer je ander werk heeft aangeboden, want je hebt veel meer in je mars dan dienstbode te blijven tot je zelf trouwt en dan naar verwachting al snel een paar kinderen aan je rokken zult hebben hangen.'

'Ik zal u helpen de ontbijttafel te dekken,' beloofde ze. 'Er is toch nog niemand beneden?'

'Je weet dat alleen mijnheer zelf altijd vroeg op is.'

Metje glimlachte. 'Zelfs op zondag, inderdaad.'

'Ach, 's avonds gaat hij graag bijtijds naar bed. Hij is een ochtendmens, zoals hij zelf zegt.'

'Probeer vanmiddag weer een uurtje rust te nemen, juffrouw Vogelaar,' glimlachte Metje over haar schouder, terwijl ze naar de eetkamer liep om daar als alle voorgaande dagen de tafel te dekken. Nu er logés waren, werd er nog uitgebreider ontbeten dan anders. Als ze alleen voor mevrouw hoefden te zorgen, nadat mijnheer al voor dag en dauw naar de fabriek was vertrokken, was het tafeldekken snel gebeurd omdat ze altijd hetzelfde at.

Ze zette de borden neer, legde het bestek erbij en even later keerde ze met haar armen vol met de broodmand en de botervloot naar de eetkamer terug, waar mijnheer net een beschuitje uit de beschuitbus pakte. Zijn wenkbrauwen schoten vragend omhoog. 'Nee maar!'

Ze glimlachte verlegen. 'Ik hoef immers pas om negen uur bij juffrouw Vermeulen te komen, mijnheer, en ik weet dat juffrouw Vogelaar het heel erg druk heeft. Dus...'

'Zo zo, je bedoelt dat je haar een poosje helpt voor je naar de fabriek komt?'

Ze knikte. 'Vindt u dat misschien niet goed?' wilde ze toen ongerust weten.

'Blijkbaar ben jij van mening dat de juffrouw dat nodig heeft.'

Ze bloosde ervan. 'Er zijn gasten, mijnheer, dan is het drukker dan anders. Zelfs met ons tweeën is het hard werken, en de juffrouw is op zaterdag en zondag niet vrij geweest.'

Hij keek haar recht aan. 'Je neemt het opnieuw voor haar op. Vind je soms dat ik haar slecht behandel?'

Ze kreeg een kleur als vuur. 'Ik zou het niet durven, mijnheer.'

Zijn ogen stonden evenwel niet onvriendelijk. 'Dus je bent van mening dat de juffrouw te zwaar belast wordt?'

'Nu hoop ik maar dat u niet boos op me wordt! Maar ze moet mij ook missen vanaf vandaag en...'

'Je hebt immers een zusje?'

Ze wist gewoon niet meer hoe ze kijken moest! 'Hilly heeft al een dienstje, mijnheer De Beijer. En anders...' Ze aarzelde opnieuw.

'Waarom ben je bang om eerlijk te zijn?'

'Dat ben ik niet, maar u bent een hooggeplaatst man, en als ik zeg wat ik denk, kunt u zich daar gemakkelijk... nu ja, dat past me niet.'

'Ik nodig je ertoe uit en beloof je plechtig er niet boos om te worden.'

'Dat is wel heel ongebruikelijk, mijnheer.'

Er verschenen pretlichtjes in zijn ogen, zou ze bijna durven zweren. 'Je vindt dus dat ik meer personeel aan moet nemen om de juffrouw te ontlasten? En je wilt niet dat je zusje

179

mogelijk ook lastiggevallen wordt door mijn schoonzoon.'
De conclusie was nuchter en verried niets van wat hij bij die
woorden voelde.

'In mijn plaats komt er hopelijk snel een andere meid.' Het
was maar het beste om niet op zijn laatste woorden te reageren.

'Wil je soms liever hier blijven werken?'

Ze keek hem recht aan. 'Ik heb hier met plezier gewerkt,
mijnheer, behalve, nu ja, als er logés waren, zal ik maar zeggen. Maar ik ben heel blij met de kans die u mij wilt geven
op de fabriek. Echt waar.'

'Je hebt een goed leerhoofd, meisje. Als je in een betere
kring geboren was, had je moeiteloos door kunnen leren.'

'Ja, mijnheer, dat denk ik ook wel. Maar ik kan immers
altijd blijven lezen? De juffrouw wordt ouder, dat is niet
anders. Ze heeft zo nu en dan een vrije dag nodig om haar
zus te kunnen zien en om gewoon wat uit te rusten.'

'Je bedoelt het goed, dat weet ik. Wel, ik lust nog wel een
boterham met kaas. Ga die maar halen, Metje, en dan zie ik
je later wel weer in de fabriek. Ik beloof je dat ik vandaag
nog met mijn vrouw zal spreken. Heb je misschien een idee
welk meisje jouw werk hier misschien over zou willen
nemen?'

Ze haalde diep adem en kwam ineens op een geweldige
gedachte. 'Jan Huijbers, de portier van de fabriek, heeft een
zus die alleen haar hospita helpt voor kost en inwoning. Ze
is met hem meegekomen uit Brabant. Misschien kunt u het
haar vragen?'

Dan stonden ze weer quitte! Hij had Izak geholpen, en als
zijn zusje hier kon komen… 'Nu haal ik eerst de kaas, want
u bent een goede baas en ik wil niet dat u alsnog boos op me
wordt.'

Hij lachte, ze kon haar ogen nauwelijks geloven! De deur
van de eetkamer bleef openstaan toen ze bijna naar de keuken holde om aan zijn verzoek te voldoen, maar toen ze
terugkwam met haar handen vol met de schaal met kaas en
ham, stond ze totaal onverwacht vlak buiten de keuken oog

in oog met de man die ze meer vreesde dan wie ook.

'Zo, daar hebben we dat kleine kreng weer,' teemde hij met een onaangename toon in zijn stem. 'Wacht maar, jongedame! Ik kom nog wel verhaal halen, na de belediging van gisteravond.'

Haar ogen bewogen niet, maar ze wist de deur van de eetkamer op een kier. Kennelijk had mijnheer Koen dat niet door of hij had er geen idee van dat zijn schoonvader nog niet naar de fabriek was vertrokken. 'Ik begrijp niet wat u bij ons in de straat te zoeken had, mijnheer Brouwer. Laten we het er maar liever niet meer over hebben.'

'O, zeker wel! Ik krijg je nog wel, jongedame. Ach wat, dame! Je wilt best. Alle meisjes willen maar wat graag, zeker als ik ze een extraatje toestop.'

Ze wurmde zich langs hem heen en met een rood hoofd zette ze even later de kaas en de worst op de gedekte tafel. 'Het spijt me, mijnheer,' fluisterde ze zonder hem nog aan te durven kijken.

Mijnheer lachte niet langer. 'Ik kom erop terug, want ik wil precies weten waar dat op sloeg, maar ik zal mijn schoonzoon er zelf ook naar vragen. Koen!'

Of hij geschrokken was omdat hij bij zijn schoonvader werd ontboden, wist ze niet. Ze maakte zich uit de voeten en schonk even later in de keuken met trillende handen een kop koffie in.

'Wat is er met jou aan de hand?' vroeg juffrouw Vogelaar, die een paar koekjes had gebroken die ze ondertussen met smaak naar binnen werkte.

Metje slikte. 'Mijnheer zelf heeft net gehoord hoe mijnheer Koen tegen mij praatte. Ik ben bang dat hierover het laatste woord nog niet is gezegd. Ik kan maar beter gaan, juffrouw Vogelaar. Mijnheer neemt een andere meid aan, heeft hij beloofd. Ik heb hem voorgesteld eens aan Marie Huijbers te denken. Ze helpt haar hospita, maar wil graag geld verdienen en is net als u en de familie katholiek.'

De juffrouw schudde verbijsterd het hoofd. 'Je bent een goed kind, maar je komt steeds in de problemen. Wel, mijnheer zal het wel oplossen, en ik ben blij als ik weer hulp krijg.'

Het was inmiddels acht uur geworden en het duurde nog een uur voor ze op de fabriek hoefde te verschijnen. Metje liep in gedachten verzonken naar de dorpshaven en daarna langs de kade. Even later stond ze boven op de rivierdijk. Toen ze dacht dat niemand haar meer kon zien, ging ze zitten. Ze wilde het niet, maar er kwamen tranen. Ineens snikte ze alle opgekropte spanningen uit en hoewel het op moest luchten, deed het dat niet.

Toen ze even later voelde dat er iemand achter haar stond, wist ze al dat het Meeuwis moest zijn.

18

' Jij weer,' snikte ze.
'Ik zag je naar de haven lopen toen ik net het postkantoor binnen wilde gaan om de gaan sorteren. Wat is er nu weer aan de hand, Metje?'
'Eigenlijk niets, maar er is zo veel gebeurd en ik heb slecht geslapen. Ik ben van streek. Verdorie!' Ze werd boos op zichzelf. 'Ik lijk wel gek, dat ik me keer op keer zo van streek laat maken door dat heerschap!'
'Hij is toch niet teruggekomen?' vroeg Meeuwis geschrokken en omdat het huilen niet had opgelucht, zou het misschien wel helpen als ze aan iemand kwijt kon wat er die morgen weer was gebeurd. Uiteindelijk was hij er nu toch en inmiddels kende ze hem goed genoeg om te weten dat hij zich niet zomaar weg zou laten sturen.

Hij luisterde zwijgend toen ze vertelde dat ze slecht geslapen had, extra vroeg wakker was geworden en zich met haar tijd geen raad had geweten, zodat ze besloten had juffrouw Vogelaar nog even te gaan helpen voor ze zich op de fabriek moest gaan melden. Hoe ze mijnheer getroffen had en wat er besproken was. Hoe blij ze ervan geworden was dat mijnheer De Beijer weliswaar erg deftig was, maar ook heel aardig. Hoe ze uit de keuken was gekomen en bijna tegen mijnheer Brouwer was opgebotst en hoe die zich had uitgelaten, zich er niet van bewust dat de deur openstond en dat zijn schoonvader alles kon horen. Meeuwis knikte zo nu en dan, maar onderbrak de woordenstroom niet. Toen Metje eindelijk zweeg en haar neus snoot, haalde hij diep adem. 'Die De Beijer is een echte kerel!' stelde hij toen vast.
'Zelfs al is hij katholiek?' Ze vouwde haar zakdoek weer op. Ze droogde haar tranen aan de punt van haar schort, en voor het eerst voelde ze zich op haar gemak bij Meeuwis.
'Dat je slecht hebt geslapen na alles wat er gisteravond is gebeurd, was te verwachten. Ik heb zelf ook weleens beter geslapen, voornamelijk omdat ik me er zorgen om maak dat het nog eens kan gebeuren en dat ik dan mogelijk niet in de

buurt ben. Je had verder de juffrouw helemaal niet hoeven helpen,' begon hij bij het begin. 'Ze is niet altijd even vriendelijk voor jou geweest.'

'Wel waar. Ik moest hard werken, dat wel, maar dat moest ze zelf ook, en ik heb veel van haar geleerd.'

'Schoonmaken kon je vast al als de beste.'

'Ik mocht helpen met koken. Ik heb van haar fijne dingen leren koken die wij thuis niet eten.'

'Nu, vooruit dan! Eigenlijk is het prima, wat er is gebeurd.'

'Hoe kun je dat nu zeggen?'

'Lieve kind, die Brouwer heeft zich onbedoeld laten kennen. Je hoeft mijnheer niets meer te uit te leggen met het risico niet geloofd te worden, of omdat dat heerschap je woorden helemaal verdraait.'

'Mijnheer zal er straks op terugkomen. Nu zie ik er tegenop om naar de fabriek te gaan!'

'Luister, het gaat om zijn dochter en haar man. Scheiden is geen optie, voor ons niet en voor fatsoenlijke katholieke mensen evenmin. Scheiden gebeurt alleen in vorstenhuizen en bij artiesten die het allemaal zo nauw niet nemen, moet je maar denken. Fatsoenlijke mensen kunnen dat niet, of het moet wel heel erg zijn. Dus mijnheer heeft de zware taak zijn dochter te beschermen tegen iets wat hij niet kan tegenhouden of veranderen. Dan mag een man nog zo in goeden doen zijn, Metje, de zorgen in het leven blijven hem evenmin bespaard als ieder ander.'

Ze knikte en snoot nogmaals haar neus. 'Ik heb me er zo vaak aan gestoord dat je steeds opdook, Meeuwis, vooral in situaties waarin ik je liever niet zag, maar nu ben ik er blij om dat je me gevolgd bent. Ik ben rustiger geworden, nu ik erover heb kunnen praten.'

'Dep je ogen. Wacht, geef me je zakdoek eens, dan zal ik die natmaken in de rivier. Je ogen zijn opgezet en rood. Dat ziet er niet uit. Juffrouw Vermeulen zal denken dat je tegen wil en dank naar haar toe gestuurd bent. Het is halfnegen geweest. Je moet maar liever niet te laat komen.' Hij stak zijn hand uit en ze pakte die vast om zich overeind te laten trekken. Ze depte even later haar ogen met de koele, natte zakdoek.

'Dank je.'

'Ik wacht vanavond op je bij de poort van de fabriek, als je klaar bent. Mag ik dan mee naar huis lopen om te horen hoe alles is gegaan?'

Ze knikte en wist dat er alleen al door dat feit geruchten de ronde zouden gaan doen, maar voor deze keer kon het haar even niet schelen. 'Dat is goed. Ik moet tot zes uur werken.'

Hij grinnikte opgewekt. 'Dan kan ik meteen een praatje maken met Jan Huijbers, als hij er nog is.'

'Pestkop,' glimlachte ze opgelucht en toen maakte ze zich snel uit de voeten. Er stond een lekker windje. Ze kon alleen maar hopen dat haar ogen niet meer rood zagen als ze zich bij de fabriek meldde, zodat niemand meer zou zien hoe ze daarnet had zitten huilen.

'Nee maar, wat doe jij hier?' vroeg Jan Huijbers nog geen tien minuten later.

'Werken,' glimlachte ze. 'Mijnheer geeft gezegd dat juffrouw Vermeulen een hulpje nodig heeft en hij heeft mij daarvoor uitgenodigd.'

Jan schudde het hoofd. 'Je bent altijd al veel te leergierig geweest voor een vrouw! Nu zie je maar weer dat dat nergens goed voor is. Juffrouw Vermeulen is een blauwkous, een bazige vrouw van wel veertig, overgeschoten natuurlijk, want mannen willen geen vrouw waar ze niet tegen op kunnen, vooral niet als dat wordt uitgevochten met de tong.'

'Ze zoeken bij De Beijer een andere meid, nu ik hier kom werken. Ik heb de naam van Marie laten vallen, Jan. Denk er maar eens over na of dat misschien iets voor je zus zou zijn.'

Hier had hij niet van terug en zwijgend bracht hij haar naar het kantoor van de juffrouw. Conny Vermeulen nam de assistente die haar ongevraagd was opgedrongen met een koele en geringschattende blik op. Jan verdween weer. Metje voelde zich opnieuw slecht op haar gemak. Ze hield het hoofd recht. 'Ik hoop dat ik veel van u mag leren, juffrouw Vermeulen, en dat ik u werkelijk van dienst mag zijn.'

'Wel, koffie rondbrengen zal wel lukken,' mokte de oudere vrouw neerbuigend. 'Kom maar mee. Ik zal je alles één keer voordoen. Daarna moet je het zelf klaren. Gasten ontvangen en ze voorzien van wat ze willen hebben, dat zal toch wel lukken, hoop ik?'

Het klonk afstandelijk, maar Metje liet zich niet uit het veld slaan. 'Ik heb bij mijnheer De Beijer thuis gediend, juffrouw Vermeulen,' hield ze zichzelf in, terwijl ze beleefd en neutraal bleef kijken. 'Mijnheer zei dat ik over een poosje misschien de eenvoudigste brieven kan schrijven, zodat u daar minder tijd aan kwijt bent.' De ander droeg poeder en lippenrood, zag ze. Wel, moeder zou zeggen dat alleen lichtzinnige vrouwen dat deden, maar zo zag de juffrouw er zeker niet uit.

Conny Vermeulen stelde Metje aan de andere directeuren en belangrijke personeelsleden voor. Ze leidde haar rond door de fabriek. 'Je moet toch weten wat er allemaal gebeurt en hoe dat in zijn werk gaat,' legde ze uit. 'Ik begin altijd om acht uur, dus zorg dat je er dan voortaan ook bent. Tussen de middag krijg je een halfuur vrij om je brood op te eten. Op zaterdag mag je in plaats van om zes uur al om één uur naar huis.'

De surveillant van de voorfabriek floot tussen zijn tanden toen hij Metje zag. Ze deed maar net of ze dat niet merkte. Er waren twee surveillanten, een voor de voorfabriek, waar de biet werd verwerkt tot ingedikt sap en waar ook haar vader werkte, de andere in de achterfabriek, waar het sap werd verwerkt tot gekristalliseerde suiker. Ze werd voorgesteld aan de boekhouder en aan de machinist, die onder de technisch directeur werkte.

Ze zag hoe meerdere schepen afgeladen vol met suikerbieten in de haven op hun beurt lagen te wachten om te worden gelost. Ze hoorde van de juffrouw dat de directie over een hijskraan nadacht, om het lossen niet alleen gemakkelijker te maken in de toekomst, maar ook sneller en met minder mankracht, zodat het uiteindelijk goedkoper zou worden omdat de investering zichzelf terug zou verdienen. Ze zag hoe de tram het fabrieksterrein op reed om eveneens grote hoeveelheden bieten te lossen, en even later de wagons weer te laten vullen met de pulp die de boeren terugkregen.

Als de klei van de bieten was gewassen en de bieten waren gekopt, werden ze in reepjes gesneden en in ketels aangestampt, werk waarmee ze haar vader bezig zag. In die ketels werd uiteindelijk suikerstroop verkregen. De opzichter keek regelmatig bij de meetbak, omdat daar werd geteld hoeveel bakken suikersap er waren verkregen, wist ze van haar vader. Dat was belangrijk werk. Daarna moest het suikersap gezuiverd worden, dat gebeurde in ovens. De ovenbaas liet de ovens stoken met cokes, die ook moest worden aangevoerd met schepen. Als de suikerstroop gezuiverd was, ging het ten slotte naar de twee ketels uit de oude fabrieken uit Brabant, waar het kristallisatieproces plaatsvond. Na de directie was de suikerkoker heel belangrijk voor de fabriek.

Weer terug in het kantoor ging juffrouw Vermeulen achter haar bureau zitten, waar een hele stapel papieren op lag. Ze knikte naar een tafeltje in de hoek. 'Trek maar een stoel bij en ga daar zitten. Ik heb vandaag veel schrijfwerk. Straks willen de heren nog een tweede kop koffie, dus begin jij daar maar mee. Er is een klein keukentje daarachter en een toilet. De arbeiders voegen hun overtollige water wel aan de rivier toe, als ze het niet langer op kunnen houden. Het is ondenkbaar dat een gewone arbeider en de directeur hetzelfde toilet zullen gebruiken.'

Alleen al het woord toilet klonk vreselijk, vond Metje. Mensen zoals zij zeiden 'plee' of 'het huisje'. Maar goed, zij was natuurlijk allesbehalve deftig!

'Begin maar met die koffie. Daarna zal ik je leren waar brieven worden opgeborgen en in welke mappen ze moeten.'

'Ik hoop dat uw werk door mij minder veeleisend wordt,' knikte Metje om haar beste wil te tonen. Ze wist niet waarom Conny Vermeulen zo stug deed. Ze bracht de koffie rond en ging als laatste het kantoor van mijnheer De Beijer binnen. Het moest ondertussen zeker al halfelf zijn geworden, meende ze. Eenvoudige mensen droegen geen horloges, arbeiders ook niet. De fluit ging als de werktijd begon of erop zat en ook als de schafttijd aanbrak of voorbij was. Dan wist iedereen waar hij aan toe was.

'Dag Metje,' knikte mijnheer. 'Sluit de deur even en ga zitten, als je wilt.'

Prompt sloegen de zenuwen haar weer op de keel. Maar zwijgend voldeed ze aan zijn verzoek.

'Ik heb een ferm gesprek gehad met mijn schoonzoon,' begon de oudere man en het viel Metje op dat hij zich blijkbaar net zo ongemakkelijk voelde als zij. 'Mijn dochter en haar gezin vertrekken morgen weer. Ik heb mijn schoonzoon opgedragen meer discretie te vertonen en mijn dochter niet nog eens in verlegenheid te brengen. Ik was gewend maandelijks een bijdrage te sturen voor het onderhoud van zijn gezin. Die wordt nu stopgezet, zodat hij wel genoodzaakt is werk te zoeken en te houden. Ik heb hem het notariskantoor aanbevolen van een goede kennis van ons, die een kantoor heeft in Breda. Koen krijgt morgen een aanbevelingsbrief mee.' De oudere man zweeg even.

'U hoeft mij dat allemaal niet te vertellen, mijnheer,' antwoordde ze zachtjes.

Mijnheer keek haar open aan. 'Je hebt er recht op. Er zijn meerdere keren dingen gebeurd waar je niet over kon praten, dat begrijp ik. Ik moet ook bekennen dat het niet de eerste keer is dat dergelijke problemen zijn ontstaan, en dat alles altijd met de mantel der liefde is bedekt omwille van mijn dochter, van wie ik zielsveel hou. Als hij daar aangenomen wordt, wat ik van harte hoop – en vandaag nog schrijf ik hoogstpersoonlijk een brief naar mijn kennis met het verzoek mijn schoonzoon aan te nemen, inclusief de belofte dat ik financieel fors aan zijn salaris bij wil dragen tot het moment dat hij zijn inkomen daadwerkelijk waard is – dan moet mijn dochter gaan verhuizen. Het zal mijn vrouw veel verdriet doen dat ze verder weg gaat wonen.'

Metje knikte. 'Voor uw dochter hoop ik dat zij geen ongemakkelijke geruchten hoort. Ze kan er zelf uiteindelijk niets aan doen.'

'Daarom heb ik op haar vertrek aangedrongen en verzoek ik jou om discretie.'

'Vanzelfsprekend, mijnheer, dat beloof ik u. Maar ik moet u wel zeggen dat er meerdere mensen zijn die mij in netelige situaties hebben geholpen.' Ze dacht aan Meeuwis, maar die zou wel zwijgen als ze hem dat vanavond vroeg. De portier zou ook niet riskeren om zijn baan te verliezen. Maar wat deed Willem Blok, die haar een poosje terug had thuisgebracht? Ze wist het niet. 'Ik zal in ieder geval mijn mond houden, maar als ik zo eerlijk mag zijn, ik ben blij als uw schoonzoon niet langer in het dorp blijft, zodat ik niet langer doorlopend hoef op te passen.'

Mijnheer knikte. 'Ga nu de portier maar halen, als je wilt. Ik zal hem vragen zijn zuster morgen bij mijn vrouw langs te sturen. Laten we hopen dat er goede afspraken kunnen worden gemaakt.' Hij glimlachte.

'Dat hoop ik ook, mijnheer.'

'Mooi. Kun je een beetje met Conny overweg?'

'Juffrouw Vermeulen is een beetje stug, maar ik hoop dat ik daadwerkelijk haar taken kan verlichten.'

'Daarvan ben ik overtuigd,' reageerde hij. 'Wel, dat was het wel.'

Ze stond op. 'Dank u, mijnheer, voor de kans die ik krijg om me verder te ontwikkelen en waar ik heel erg blij mee ben.'

Hij knikte welwillend en even later keek Metje in de verbaasde ogen van juffrouw Vermeulen. 'Dat duurde nogal even.'

'Ik heb bij mijnheer gediend, juffrouw Vermeulen. Mijn leergierigheid heeft hem al eerder geamuseerd.'

'Wel, laten we dan maar hopen dat hij zich niet in je heeft vergist.'

Het was al bijna halfzeven toen ze aan het eind van de dag de poort uit liep. Jan was er niet meer. Metje hoopte oprecht dat zijn zus blij zou zijn met de kans die ze aangeboden kreeg.

Meeuwis wachtte haar op, zoals hij had beloofd. 'Vertel,' droeg hij glimlachend op. 'Hoe is het vandaag geweest?' Dat was een veilig onderwerp van gesprek, dus Metje vertelde honderduit. Ten slotte vertelde ze hem wat er gezegd was in het gesprek met mijnheer De Beijer zelf, over de situatie bij hem thuis. 'Wordt er over Brouwer gekletst in het dorp, Meeuwis?' vroeg ze toen ze al bijna haar straat in liepen.

'Jawel, en steeds openlijker. Al vroeger heeft hij meisjes lastiggevallen. De uit Brabant meegekomen arbeiders kennen die geruchten ook en Willem heeft zijn mond ook niet gehouden over de keer dat hij jou thuis heeft gebracht. Maar ik zal je wel helpen de geruchten de kop in te drukken, Metje. Dus de dochter van mijnheer vertrekt morgen met haar hele gezin?'

Ze knikte. 'Het is beter dat je niets verder vertelt over de baan die mijnheer De Beijer eigenlijk creëert om zijn schoonzoon uit de buurt te hebben,' zuchtte ze.

'Natuurlijk niet. Metje, weet je nu nog niet dat je mij kunt vertrouwen?'

'Ik moet eraan wennen,' gaf ze toe.

'Wel, je bent bijna thuis, ik ga eens kijken wat mijn eigen moeder op tafel zet. Dag, Metje.'

'Dag.' Ze keek hem nog even na.

'Wat moest jij met Meeuwis Tol?' vroeg haar moeder verbaasd toen ze even later in de keuken stond.

'Ook goedenavond, moeder. En ja, ik heb veel geleerd vandaag op de fabriek.'

Moeder mompelde maar wat. 'Boekenwijsheid vind ik nu eenmaal helemaal niets voor jonge vrouwen. Wat had Meeuwis?'

'Ik geloof dat hij me leuk vindt.'

'Ja, dat doet hij al tijden,' bemoeide Hilly zich ermee. 'In de kerk zit hij altijd naar je te lonken.'

'Ik heb er nooit zo op gelet,' wimpelde Metje af, maar ze kon niet verhinderen dat ze een beetje kleurde, en dat ontlokte de nodige vrolijkheid aan haar jongere zusje. 'Nu, het zou tijd worden dat je een vrijer krijgt! Komt hij zaterdagavond soms op de koffie? Dan moet moeder wel weten of ze hem wel of niet koek erbij moet geven.'

Als een jongeman met bijbedoelingen op zaterdagavond langskwam, kreeg hij koffie met koek als de avances welkom waren, en zonder koek als hij niet terug hoefde te komen. Zo ging dat nu eenmaal op het platteland. 'Ik moet daar nog over nadenken,' weerde Metje af. Haar zusje plaagde haar nog een beetje, haar moeder keek haar onderzoekend aan.

'Na alle gedoe met Huib zou het fijn zijn als jij een goede man kreeg van onze eigen kerk,' peinsde moeder hardop. 'Veel kerels zijn er voor jou niet langs geweest. Je bent al aardig op weg om over te gaan schieten, Metje, dus ik zou hem, als ik jou was, maar niet al te snel wegsturen.'

'Ik zal erover nadenken, moeder,' beloofde ze, want ze wist zelf niet meer hoe ze nu tegenover Meeuwis stond. Hij had belangstelling, dat wist ze best, maar ze was niet verliefd op hem. Het moest aan haarzelf liggen. Ze werd blijkbaar nooit verliefd of meer nog: van iemand houden als Huib dat deed van Inge en zij van hem. Dat moest mooi zijn. Maar als dat niet voor haar was weggelegd? Wilde ze soms net worden als juffrouw Vermeulen, verbitterd en misschien wel heel eenzaam? Geen kinderen van zichzelf krijgen? Nee, wist ze. Ze wilde graag een eigen gezin. Goed, tien kinderen was wel een beetje erg veel, ze had het liever zoals bij hen thuis, maar dan zonder de armoe. Meeuwis had vast werk en was inderdaad van dezelfde kerk.

Ze besefte dat ze er goed over na moest denken.

Al de derde dag liet de juffrouw haar een briefje zien. 'Deze brief moet je steeds overschrijven en dit zijn de namen en de adressen waar die naartoe moeten. Schrijf de eerste brief op proef. Als je handschrift goed leesbaar is en je er geen fouten in maakt, mag je deze correspondentie zelf afhandelen, maar er gaat geen brief de deur uit voor ik die in eigen persoon heb nagekeken.'

'Afgesproken, juffrouw Vermeulen. Ik zal mijn uiterste

best doen.' Niet veel later doopte ze de pen in de inkt. Toen de juffrouw het resultaat nakeek, glimlachte ze zelfs. 'Wel, misschien heeft mijnheer De Beijer wel een heel goede keus gemaakt.'

En dat, besefte Metje, kwam heel dicht bij een compliment! Aan het einde van de middag was er een keurige stapel brieven klaar, die mijnheer alleen maar hoefde te tekenen. Het viel hem direct op dat dit niet het handschrift van Conny was. Toen de juffrouw weer uit het kantoor kwam, moest Metje dan ook bij hem komen. 'De juffrouw is erg over je te spreken, Metje. Ik ben blij dat ik niet teleurgesteld ben in mijn verwachtingen.'

'Dank u, mijnheer.' Ze gloeide van trots. 'Ik vind het werk hier erg prettig.'

Hij knikte. 'Mijn vrouw is verdrietig omdat onze dochter vertrokken is. Juffrouw Vogelaar zal wel blij zijn dat ze het nu rustiger krijgt, en volgende week maandag begint Marie Huijbers.'

Ze had bijna willen zeggen dat alles op zijn pootjes terechtkwam, maar dat kon natuurlijk niet. Mijnheer was een illusie armer over zijn schoonzoon en of zijn dochter in de toekomst misschien heel ongelukkig met haar man zou zijn, die vraag zou zwaar op hem drukken. 'Als het zo blijft, krijg je na een maand een vaste aanstelling,' beloofde hij haar nog.

Ze glimlachte voorzichtig naar juffrouw Vermeulen. 'Ik heb het de afgelopen dagen fijn gevonden om hier te werken,' begon ze, toch een tikje verlegen.

'Wel, het ziet ernaar uit dat ik er ook wat aan heb,' bekende deze nogal stug, maar voor iemand als de juffrouw was het heel wat, wist Metje. Ze had al in de gaten dat de juffrouw het heel plezierig vond voortaan zelf te worden bediend met koffie en thee, en dat deed ze dus zonder morren.

Toen ze even later de poort uit liep, werd ze staande gehouden door Jan Huijbers. 'Ik loop even met je mee, Metje.'

Dat maakte haar toch weer onzeker, maar hij begon meteen

over Marie, en dat die blij was met haar dienstje. Hij had eveneens de geruchten gehoord die over mijnheer Brouwer in het dorp rond werden verteld, en omdat hij ook iets had gehoord over handtastelijkheden, wilde hij van haar weten hoe dat nu precies zat.

'De dochter van mijnheer is hem heel dierbaar, Jan,' vertelde ze zo neutraal mogelijk. 'Ze is vertrokken en het zal nog een poos duren eer haar man weer meekomt om bij zijn schoonouders te logeren. Marie hoeft niet bang te zijn, maar als hij er wel is, moet je goed op haar passen.'

'Dus het is waar?'

'Ik weet niet wat er precies gezegd wordt,' reageerde ze terughoudend. 'Maar het is een man die graag naar een vrouw kijkt en brutale opmerkingen maakt. Als Marie ervoor zorgt niet alleen met hem te zijn, zal ze er weinig last van hebben.'

'Hm. Ik moet erover nadenken. Ik weet nog maar al te goed dat jij bang voor hem was. En hoe komt mijnheer erbij om jou werk te geven bij juffrouw Vermeulen?'

'Hij vond het altijd al amusant dat ik graag las. Ik heb boeken van hem mogen lenen en de juffrouw kreeg steeds meer werk,' antwoordde ze rustig.

'Hoe zit het nu eigenlijk met je broer? Ik zie Inge tegenwoordig niet zo vaak meer. Ze is toch zeker niet naar de stad vertrokken, is het wel?'

19

Nee, Inge was niet naar de stad vertrokken en in de brieven die Huib stuurde, klonk een steeds ongeduldiger ondertoon door. Hij voelde zich eenzaam tussen al die mensen ginds, begreep Metje. Ze had Inge niet meer gezien sinds Huib weer vertrokken was.

De campagne draaide nu volop. Soms vroeg ze zich af of haar vader de andere vader weleens tegenkwam in de fabriek. Dat moest wel, meende ze, of in ieder geval bij het schaften of het binnengaan van de fabriek. Zouden ze elkaar dan gedag zeggen of elk ongemakkelijk een andere kant op kijken? Ze had er geen idee van, maar ze schatte het laatste!

'Hoeveel geld zit er al in het potje?' vroeg ze op een dag toen september al naar het einde liep. 'Kunnen we Huib al een keertje op gaan zoeken? Ik mis hem, moe.'

Ze zag aan het trekken van haar gezicht, dat haar moeder dapper probeerde dat wat ze voelde naar de achtergrond te verdringen, met de bedoeling een neutraal antwoord te geven, dat vooral haar man tevreden zou houden.

'Laten we volgende week zaterdagmiddag gaan. U gaat 's morgens al en ik kom ook, zodra ik klaar ben op de fabriek.'

Moe schudde resoluut het hoofd. 'Dat kan niet. Je vader vindt het niet goed.'

'Vader negeert de hele kwestie in de hoop dat het overwaait,' meende Metje. 'Maar goed, zoals u wilt. Ik zal Huib schrijven en vragen wanneer hij weer hierheen komt.'

Toen ze die middag uit de fabriek kwam, besloot ze de stoute schoenen aan te trekken en even later liep ze de straat in waar de familie Timmers woonde. Ze werd er zenuwachtig van, besefte ze. De eerste die ze tegenkwam omdat die net naar huis ging, was echter Jan Huijbers. Ze aarzelde. 'Dag Jan. Heeft Marie het een beetje naar haar zin?'

De jongeman was zichtbaar blij haar tegen te komen. 'Kwam je mij opzoeken om dat te vragen?'

'Nee, ik was eerlijk gezegd op weg naar Inge Timmers, maar het treft dat ik jou tegenkom.'

Hij interpreteerde die woorden anders dan zij bedoelde, besefte ze meteen haar foute woordkeus. Zijn ogen lichtten op. 'Je zult Marie best aardig vinden. Je kent haar immers nog niet? Ze is nog niet thuis, maar wij lopen straks wel even bij Timmers binnen. Inge en Marie kunnen goed met elkaar overweg.'

Ze knikte en maakte zich uit de voeten voor ze nog meer dingen zou zeggen waar ze spijt van kon krijgen.

Ze aarzelde toch wel en merkte dat ze gespannen was, voor ze een klop op de deur gaf bij de familie Timmers en 'volk' riep, voor ze die opendeed en naar binnen keek.

De moeder van Inge keek op van het koffie malen. Ze had de koffiemolen stevig tussen haar knieën geklemd en draaide het handvat driftig rond. De tafel stond gedekt. Het rook lekker naar gebakken spek. Een huis om je thuis te voelen, flitste het door Metjes hoofd heen.

'Is Inge thuis?' vroeg ze aarzelend. 'Ik vroeg me af hoe het met haar ging. Het is verdrietig dat onze families verder geen contact met elkaar hebben, terwijl…' Nu ging ze alweer te veel zeggen en waarschijnlijk ook de verkeerde dingen, besefte ze. Hulpeloos haalde ze haar schouders op.

Vrouw Timmers knikte. 'Je bedoelt het goed. Kom binnen, Metje. Inge is er nog niet, maar ze zal zo wel komen. Moest je zelf niet naar huis om te gaan eten?'

'Ik mis mijn broer en wilde hem eigenlijk graag een keer op gaan zoeken, om te kijken hoe hij leeft en waar hij woont, maar mijn moeder durft niet te gaan omdat ze mijn vader niet boos wil maken.'

De andere vrouw knikte. 'Het is erg verdrietig allemaal.'

'En Inge… Mist ze Huib?'

'Natuurlijk doet ze dat. Mijn man en ik beseffen inmiddels heus wel dat die twee elkaar niet los zullen laten. Het gedwongen gescheiden zijn maakt ze alleen maar hardnekkiger om uiteindelijk hun zin te krijgen.'

De deur ging open en Inge kwam binnen met haar twee jongere zusjes. Haar ogen lichtten op toen ze Metje zag. 'Aardig dat je me op komt zoeken. Ik durfde niet bij jullie langs te komen, vanwege je vader.' Ze trok een stoel bij. Metje kreeg een boterham voorgezet met een stukje spek erop. 'Eet maar vast op,' zei vrouw Timmers hartelijk. 'Je zult wel trek hebben. Bevalt het op de fabriek?'

'Heel goed. Ik mag brieven schrijven en doe alles waar juffrouw Vermeulen geen tijd voor heeft. Dank u wel. Dat is lekker.' Ze nam een hapje. 'Weet jij wanneer Huib van plan is weer te komen? Ik mis mijn broer, zie je.'

Inge knikte een beetje strak. 'Ik ook. Hij wil zo veel mogelijk geld sparen, en naar huis komen kost geld dat hij eigenlijk niet wil missen. Omdat we geen verandering verwachten in de houding van je vader, zoekt hij nu een dienstje voor mij in de stad. Ik kan daar eventueel in de kost komen bij de broer van iemand van onze eigen parochie, die er sinds een jaar met zijn gezin woont en in de haven is gaan werken om beter te gaan verdienen. Dan kunnen Huib en ik elkaar tenminste zien en we gaan dan de tijd aftellen tot het moment dat we de toestemming van je vader niet meer nodig hebben.'

'Alleen van mijn vader?'

'Die van mij beseft wel dat ik echt van Huib hou en hij van mij, en als we in de stad wonen, zal er minder over ons gekletst worden dan hier in het dorp. Hij heeft zich erbij neergelegd en stelt niet langer als uitdrukkelijke voorwaarde dat onze kinderen alleen katholiek opgevoed worden. Zolang onze pastoor daar niet van weet, krijgt hij er ook geen moeilijkheden mee. Als alles geregeld is, gaat hij me zelf wegbrengen naar de stad en nog eens met Huib praten over onze toekomst.'

'Mag ik dat straks tegen mijn ouders zeggen?'

Ze knikte. 'Heeft Huib dat niet geschreven?'

'Door alle gedoe gaat de berichtgeving niet verder dan dat hij goedbetaald werk heeft en dat de stad wel druk is, maar dat hij eraan begint te wennen.'

'Het is onze toekomst en niet anders.'

'En de kwestie van de kerken?'

Inges gezicht betrok. 'Dat zal altijd moeilijk blijven, vrees ik. Om te beginnen beseffen we terdege dat we het niet iedereen naar de zin kunnen maken. We zullen op een gegeven moment moeten kiezen omwille van de kinderen, want stel dat die zeven of acht jaar zijn en op zondagmorgen vragen: gaan we naar de kerk van vader of naar die van moeder?' Ze schoot in de lach. 'Huib schrijft dat er daarginds veel socialisten zijn die helemaal niet meer naar de kerk gaan, en dat hij er door alle gedoe bijna een zou worden.' Toen keek ze weer ernstig. 'Dat hoop ik toch niet. God is belangrijk voor me. Ik ben graag een goed christen.'

'Huib ook. Hij gaat niet enkel naar de kerk omdat het moet van zijn vader.'

Vrouw Timmers knikte heftig. 'Dat laatste is bij veel jonge mensen het geval. Geloof krijgt pas betekenis als het mensen tegenzit en ze er steun aan ervaren. Zoals mijn zus weleens zegt: in slechte tijden lopen de kerken vol.'

'Met een opvoeding in het christendom leg je als ouders de basis, en als mensen er dan later steun aan kunnen hebben, is dat toch heel mooi,' vond Inge. 'Voor mijn vader en de pastoor is die kwestie groter dan voor mij. Ik denk zelf dat God overal gediend kan worden, als het hart oprecht is.' Maar verder kon ze niets zeggen, want opnieuw ging de deur open en Jan kwam binnen, op de hielen gevolgd door Marie.

Ze was blij met haar dienstje, maar de vraag die Metje vreesde, kwam desondanks toch. 'Hoe zit dat nu met mijnheer Brouwer en wat heeft dat te maken met jouw overhaaste vertrek daar en het baantje op de fabriek?'

Ze moest eerlijk zijn, ook omwille van Marie, besefte Metje. 'Luister, ik heb mijnheer moeten beloven er geen ruchtbaarheid aan te geven, maar ik vind ook dat je voorzichtig moet zijn. Zijn schoonzoon maakt brutale opmerkingen en probeerde meerdere keren om me te kussen. Ik werd daar erg zenuwachtig van. Juffrouw Vogelaar hielp me om ervoor te zorgen dat hij zich niet met mij kon afzonderen, maar soms wachtte hij me op als ik naar huis ging en ik werd werkelijk bang van hem. Mevrouw en haar dochter weten van niets.'

'Wel,' voor het eerst liet de vader van Inge zich horen. 'Je moest eens weten hoeveel kerels de katjes proberen te knijpen als het donker is.'

Maar Jan keek bezwaard. 'Ik moet Marie wel met een gerust hart naar haar werk kunnen laten gaan.'

'Zolang de schoonzoon er niet is, is er helemaal niets te duchten en is het een zeer plezierig dienstje. Zo heb ik het tenminste ervaren. Ik heb veel van juffrouw Vogelaar geleerd, maar nu ik op de fabriek werk, leer ik heel andere dingen, en ik denk dat mijnheer heeft onderkend dat ik dat kan.' Daarmee hoopte ze de dreiging af te zwakken, want Marie keek onzeker van de een naar de ander. 'Ik denk dat mijnheer zijn schoonzoon niet snel nog eens komt laten logeren,' verzachtte Metje de dreiging die van haar woorden was uitgegaan. 'Het ligt voor de hand dat mijnheer, maar vooral mevrouw, veel eerder naar Brabant zullen gaan, vooral ook omdat hun zoon daar woont, en die werkt net zo hard als zijn vader en heeft dus veel minder kans om uit logeren te gaan.'

'Ik zal goed opletten,' knikte Marie. Omdat Timmers hongerig aan tafel kwam zitten en het spek nog lekkerder rook dan daarnet, begreep het bezoek de hint. Het was meer dan etenstijd. Metje gaf iedereen een hand. 'Inge, ik wil je graag zo nu en dan zien, en mijn steun heb je.'

'Dank je,' knikte Inge en haar mooie blauwe ogen, die misschien wel het meeste indruk op Huib hadden gemaakt, kregen weer een warme uitdrukking.

Ze kreeg ook een hand van Timmers. 'Wij zullen ons niet langer tegen dat huwelijk verzetten, Metje. Vertel dat maar aan je vader. Waarom moeten we de jongelui nog langer laten wachten, terwijl we allemaal weten dat dat huwelijk er toch zal komen, vroeger of later?'

Ze knikte. 'Ik zal het zeggen. Dag.'

Thuis was ze zenuwachtig toen ze aan tafel schoof, maar haar vader leek in een best humeur en als er door een zure appel heen gebeten moest worden, dan kon dat maar het beste meteen gebeuren.

'Ik heb Inge net opgezocht.'

'Nergens voor nodig,' vond haar vader.

'Daar denk ik anders over. Ze mist Huib en ze gaat binnenkort naar de stad om er te werken en Huib vaker te kunnen zien. Ik moest van haar vader zeggen dat hij zich niet langer tegen het huwelijk verzet, zodat zijn toestemming geen punt neer is.'

'Hij is zeker bang dat ze te vroeg zwanger wordt, zeker als die twee vlak bij elkaar wonen zonder streng toezicht,' mompelde haar moeder, en verder dan dat zou ze beslist niet gaan, besefte Metje.

Omdat moeder niets zou zeggen, moest ze dat zelf maar doen. 'Toe, vader, ze zullen toch met elkaar trouwen, met of zonder uw goedvinden. Kunt u die toestemming niet geven, alstublieft?'

Twee weken later kwam Huib weer thuis en zijn gezicht had een vastberaden uitdrukking gekregen die Metje niet van hem kende. Huib was niet langer een jongen, besefte ze met een schok. Hij was daar ver van hen vandaan een man geworden, een man die werd gedwarsboomd bij iets dat belangrijk voor hem was, en die inmiddels vastbesloten was de ingewikkelde knopen door te hakken die hem belemmerden in zijn levensgeluk.

Een antwoord had ze van haar vader niet gekregen toen ze hem had gevraagd die toestemming dan toch maar te geven. Wel was er een hele monoloog gevolgd over de juiste kerk en het juiste geloof, en vreemd genoeg begreep ze tevens de pijn van haar vader. Een leven lang was hij ervan overtuigd geweest dat hun kerk de juiste weg was om tot God te gaan. Dat was moeilijk om los te laten, zelfs als het ging om het geluk van een van je kinderen. Aan de ene kant wilde hij vasthouden aan wat hij altijd had geloofd en wat hem altijd steun en houvast had gegeven in zijn leven. En het deed hem pijn te ontdekken dat zijn zoon daar anders over was gaan denken, nu de liefde op zijn pad was gekomen. Ja, ze begreep haar vader best, maar mocht je je eigen overtuiging stellen boven wat je kinderen zelf met hun leven wilden doen? Was de prijs die uiteindelijk daarvoor betaald moest worden, wel te dragen? Verlies van contact met je kind? In het ergste geval elkaar nooit meer zien, in verbittering? Moeder, die in dat geval haar kleinkinderen niet zou kennen? Mocht dat? Kon dat? Het was meer dan genoeg om een man als haar vader totaal uit zijn doen te brengen. En moeder natuurlijk ook. Ze had geen andere keus dan zich te schikken naar wat haar man zou beslissen, maar ze hield ook van haar zoon. Het was een afschuwelijk dilemma, maar het duurde nu al zo lang. Er was vooralsnog niets opgelost door het vertrek van Huib naar de stad. De gevoelens van Huib en Inge waren niet veranderd en Metje besefte dat die twee samen verder zouden gaan. Ondanks alles en ondanks de mogelijke gevolgen. Het was niet alleen voor moe pijnlijk, maar ook voor hen. En toch had Huib geen andere mogelijkheid gezien. Ze dacht ineens aan Meeuwis en verwonderde zich erover hoe krachtig liefde kon zijn. Meeuwis gaf ook om haar, zei hij. Zou hij van kerk veranderen omwille van de liefde? Ze had er haar twijfels over.

Was vader mogelijk toch benauwder om wat de mensen zouden zeggen? Dominee misschien? Ze dacht aan gesprekken die hier in huis waren gevoerd, over verschil van inzichten van sommige geloofsartikelen en hoe hardnekkig mannen vast konden houden aan de opvatting dat hun eigen visie daarom te verkiezen was boven die van een ander. Geloof kon heel gemakkelijk tot verbittering leiden, tot een krampachtig vasthouden aan het eigen gelijk. Niet alleen tot mildheid, tot vertrouwen en tot liefde voor God en de medemens. Hoe meer ze erover nadacht, hoe meer ze zelf ook in het moeras van tegenstellingen zakte, besefte ze.

De sfeer in huis raakte bedrukt en bleef dat, ook toen Huib halverwege de zaterdagmiddag de kamer binnenstapte. Metje was vooral blij hem te zien. Huib slaakte een diepe zucht. Aan de blik waarmee hij in de woonkeuken rondkeek, bleek duidelijk dat hij alles wat hem zijn leven lang vertrouwd was geweest, miste. Liefde moest groot zijn, dacht

Metje, als iemand daar zo veel voor op wilde offeren.

'Ben je al bij Inge geweest?'

Hij knikte. 'Haar vader heeft ons zojuist zijn zegen gegeven. Ik blijf tot maandag, dan gaat ze met me mee om bij mij in de buurt te komen wonen. Dan kunnen we elkaar tenminste vaker zien.'

Moe kwam binnen, want ze was net terug van de bakker om vers brood te halen voor de zondag. Ook haar ogen lichtten op, want ze miste haar zoon verschrikkelijk, ook al had ze nog twee andere zoons in de buurt en ook twee dochters. Zo waren moeders nu eenmaal, net kloeken, ze wilden hun kinderen allemaal het liefst dicht in de buurt hebben.

'Is vader er niet?'

'Hij is dominee waarschuwen. Die wil met je praten.'

Huib knikte en zijn ogen kregen een afwerende uitdrukking. 'Dat is niet de thuiskomst waarop ik had gehoopt, moeder.'

'Dat weet ik.'

'Hoe denkt u erover?' vroeg hij toen.

'Ik kan je vader niet afvallen en dat weet je, maar als het aan mij lag, zou ik jullie niet langer tegen proberen te houden. Ik heb gezien dat jullie vastbesloten zijn en oprecht van elkaar houden, anders hadden jullie nog steeds niet aan elkaar vastgehouden, terwijl jullie al een hele tijd gescheiden moeten leven. Weet je zeker dat het geen koppigheid is, Huib?'

'Ik zag Inge en wist meteen: dat is ze. Natuurlijk klinkt het idioot voor mensen die zoiets nooit hebben meegemaakt en die van mening zijn dat liefde moet groeien. Maar moeder, wat vader ook zegt en wat dominee ook toe zal voegen, ik begrijp hun standpunt, daar niet van, maar ik ga op een gegeven moment met Inge trouwen en ze zal dan niet zwanger zijn. Ik ben een sterke man. Dat gebeurt niet.'

'De verleiding zal groter zijn als jullie vlak bij elkaar wonen en elkaar vaak zien.'

'We zullen elkaar alleen maar beter leren kennen en dat is juist mooi. U heeft er geen idee van hoe de eenzaamheid aan ons kan vreten. Maar goed, dominee komt ook? Ik denk dat het verstandig is als Inge daar ook bij zit. Ik ga haar halen.'

'Vader kan elk moment terugkomen,' hijgde haar moeder geschrokken. 'Doe dat nu niet.'

'Ik haal haar wel,' besloot Metje en ze stond al buiten voor iemand ook maar kon reageren. Ze rende door de straat. Ze was halverwege toen Meeuwis haar staande hield. 'Wat is er aan de hand?'

Aan de ene kant was ze blij hem te zien, maar aan de andere kant juist niet. 'Ik heb haast, maar je mag meelopen. Dominee komt met vader en Huib praten en Huib wil dat Inge daarbij is.'

'Zodat dominee haar leert kennen? Er zijn veel lieve en aardige meisjes, zal hij denken, ook in onze kerk.'

'Ga je mee of niet?'

'Natuurlijk ga ik mee. Zeker als jij me dat vraagt.' Even later stond ze opnieuw bij Timmers binnen. Meeuwis wachtte buiten op haar. Inge was bezig met een blij gezicht haar schaarse spullen in een rieten koffer te pakken. 'Ik ben zo blij dat we elkaar voortaan vaker kunnen zien,' lachte ze een tikje verlegen.

'Inge, mijn vader haalt op dit moment de dominee om met Huib te praten en Huib wil graag dat je erbij bent, zodat onze dominee jou kan leren kennen.'

Ze aarzelde zichtbaar, maar haar vader stond op. 'Dan gaan je moeder en ik ook mee en wordt alles openlijk besproken. Er kan alleen maar winst zijn, Inge. Kijk niet zo bang. Zelfs al verloopt dat gesprek nog zo beroerd, dan nog ga je maandag met hem mee en trouwen jullie over een poos. Er is dus niets te verliezen.'

Zo gebeurde het even later dat Inge en haar ouders naar binnen gingen. Meeuwis keek bezorgd. 'Ik kom vanavond langs,' besloot hij. 'Ben ik welkom, Metje?'

Zijn ogen keken onderzoekend. Ze las er liefde in, net als Huib keek naar Inge, stelde ze geschrokken vast. Dat was al een hele tijd zo, maar zij had het nooit eerder gezien of willen zien – welke van de twee, dat wist ze nog niet. 'Dan wil ik van jouzelf horen wat er straks allemaal besproken gaat worden.'

Ze knikte en stond even later binnen, waar iedereen elkaar een hand had gegeven. Dominee leek niet erg op zijn gemak nu hij tegenover zo veel mensen zat. Vader ook niet. De bijbel lag opengeslagen op tafel. Moeder trok het boek naar zich toe en bladerde erin. Toen ze uiteindelijk de bladwijzer legde bij het hoofdstuk dat ze had opgezocht, kreeg Metje een kleur. Het ging om de brief van Paulus aan de gemeente van Korinthe, het beroemde hoofdstuk over de liefde. Huib zag het en glimlachte, terwijl hij dicht naast Inge was gaan zitten. Metje hield zich op de achtergrond.

Dominee begon erover dat kinderen hun vader en moeder moeten eren, waarop Huib antwoordde dat hij zich daar geen seconde aan onttrokken had, maar dat het hem niet belette ook een eigen mening te hebben.

Het gesprek duurde lang. De familie Timmers luisterde zwijgend, terwijl dominee probeerde het verdwaalde schaap bij zijn kudde terug te krijgen en vader klem raakte tussen zijn geloof en zijn vertrouwen in dominee aan de ene kant, en zijn vasthoudende zoon aan de andere kant.

Toen dominee zweeg, schraapte Huib zijn keel. 'Ik trouw met Inge. Daar veranderen alle woorden niets aan. Ik geloof ook in God, maar dat geloof wordt in alle kerken beleden, dominee, en de intentie van het hart is voor mij doorslaggevender dan alle argumenten die u zo-even in alle oprechtheid naar voren heeft gebracht. Inge en ik weten hoe moeilijk de kwestie ligt. We weten dat de standpunten elkaar nooit zullen vinden. We vragen slechts om erkenning voor het feit dat wij er anders over denken.'

Nu pas liet Timmers zich horen. 'Wij hebben besloten dat we het geluk van onze dochter niet langer in de weg willen staan. Ze gaan trouwen, in Rotterdam, alleen op het gemeentehuis. Binnenkort of over langere tijd, maar we hebben van beide kanten genoeg geprobeerd om het huwelijk tegen te houden en ik ben tot het besef gekomen dat ik haar mening niet kan veranderen en dat ik mijn dochter ga verliezen als ik er nog langer tegen in blijf gaan. Hoewel ook ik het er nog steeds niet mee eens ben, heb ik wel mijn toestemming gegeven. Ik verzoek u, Huisman, voor Huib hetzelfde te doen. De kinderen zijn gelukkig met elkaar en wij zullen er elk op onze eigen manier nog strijd genoeg over hebben, maar dat is onze zaak en niet die van de kinderen, die hun eigen leven hebben gekozen. Ieder van ons kan voor hen bidden.'

Het bleef stil na die woorden. Metje zag de strijd op het gezicht van haar vader, zag de samengeknepen lippen van dominee. Wat hij vanmiddag hier zei, of juist niet: zijn kerkenraadsleden zouden hem er ongetwijfeld op aanspreken. Uiteindelijk was dominee de eerste die opstond. 'Ik heb mijn mening gegeven, Huib. Het is nog niet te laat om op je schreden terug te keren.'

'Met alle respect, dominee, dat zal ik niet doen.'

Toen dominee weer vertrokken was, schoof moeder de bijbel naar het midden. 'Lees dit voor, Huib, en laten we daarna met elkaar bidden om wijsheid, om inzicht, maar zoals hier staat geschreven: zonder de liefde is al het andere niets waard. Zelfs geloof dat bergen verzette, verloor de betekenis als er geen liefde was. De liefde staat boven alles, ook boven geloof en hoop. Natuurlijk weten we allemaal dat in de Bijbel op een andere liefde wordt gedoeld dan wij hier als aardse mensen zo voelen, maar toch... Liefde is liefde. Mijn zegen heb je, Huib.'

Huib wilde net met een glimlach het boek naar zich toetrekken, toen haar vader opstond. 'Goed dan, ik geef mijn toestemming eveneens. Trouw kort voor de kerst, als je een huis hebt gevonden tenminste. Het is zwaar voor je moeder en mij, en dat zal wel altijd zo blijven, maar doe ons niet de schande aan dat er een kind onderweg is tegen die tijd.'

Daarna liep hij naar buiten, maar moeder haalde de bessenjenever, waar ze anders zo zuinig mee was, tevoorschijn.

20

De klop op de deur deed vader Huisman fronsend opkijken uit zijn gemijmer. Zijn gezicht stond somber. Urenlang had hij geen woord gezegd. Toen Meeuwis even later over de drempel stapte, nam Hilly weer eens giechelend haar toevlucht tot de bedstee. Moeder Huisman had bijna nog wel een besje in willen schenken, maar met een uitgestreken gezicht beperkte ze zich tot de koffie. Met koek, en dat zonder Metje vragend aan te kijken. Meeuwis gaf iedereen beleefd een hand en zijn gezicht verried niets, mocht hij de gespannen sfeer in huis al opmerken. Izak ging naar boven met de krant, die mijnheer tegenwoordig na het lezen mee naar de zaak nam en aan Metje gaf. Daar ging de jongen rustig zitten lezen. Huib was natuurlijk bij Inge. Het was voor hem een enerverende middag geweest en ze zouden stilletjes genieten van hun geluk, en plannen gaan maken voor de komende tijd. Vader Huisman keek vragend van Meeuwis naar Metje en weer terug. 'Waarom wist ik hier niets van?'

'Metje is er zelf nog niet goed achter,' antwoordde Meeuwis kalm. 'Maar ik hoop dat ze meer in mij gaat zien dan een kerel die haar te pas en ook te onpas aanspreekt op straat. Ik wil straks een stukje met haar wandelen, Huisman, naar de haven of zo. Een en ander bepraten, ziet u.'

'Nu, er is hier in huis al meer dan genoeg gepraat voor een half mensenleven,' mompelde hij. 'God zij dank ben jij wel van onze kerk.'

'Dominee is vanmiddag geweest, dat vertelde ik je al,' liet Metje zich horen.

'En?'

'Het was inderdaad moeilijk. Maar Inge en haar ouders waren erbij, en hoewel ik niet denk dat dominee tevreden was met de afloop, is wel besloten dat Huib en Inge kort voor de kerst gaan trouwen. Maandag gaat Inge mee naar de stad. Ze kan er in een fabriek komen werken en gaat tot haar trouwen in de kost bij iemand die ook katholiek is. Het wordt een kleine bruiloft, op de dag dat er gratis getrouwd kan worden, en zonder inzegening in een kerk, niet in die van haar en niet in die van ons. Dat is de prijs die ze moeten betalen, en het doet hen beiden verdriet.'

'Ik denk eerder dat ze blij zijn met de toestemming,' vond Meeuwis.

'Hoe dan ook, wij gaan de komende tijd stevig over de tong,' zuchtte vader Huisman somber. 'Dat weet jij beter dan wie dan ook, Tol.'

'Zeker, maar ik zal een goed woordje doen over de situatie, dat beloof ik. Er gebeurt binnenkort wel weer iets nieuws. Dan hebben de mensen weer iets anders om over te kletsen.'

'Verkeerde huwelijken en te vroeg geboren kinderen onthouden mensen hun leven lang,' somberde moeder mee. 'Maar niets kon die twee uit elkaar houden, en dan is het maar beter zo, dan dat er een kind van komt zonder dat ze getrouwd zijn.'

Meeuwis dronk zijn koffie op en keek Metje vragend aan. 'Loop je mee?'

Ze knikte. 'Goed.' Ze griste haar omslagdoek vanaf de spijker naar zich toe en trok die dicht om zich heen.

'Weet je het zeker?' vroeg Meeuwis zodra hij buiten het klompenhok stond en ze binnen niet meer gehoord konden worden.

Metje haalde diep adem. 'Jawel. Waar wil je heen?'

'Naar de rivier. Ik loop heel graag langs het water, soms gewoon om mijn gedachten te laten gaan, maar ook wel als ik me verdrietig voel.'

'Je hebt me getroost toen ik voor het eerst naar de fabriek moest.'

'Je vader weet niet half hoe bedreigend het gedrag van Brouwer voor je is geweest, meisje. Maar goed ook, nu ik erover nadenk. Hij heeft al zorgen genoeg.'

'Het was heel zwaar voor hem om Huib zijn toestemming te geven, en gelukkig met dat huwelijk zal hij nooit zijn.'

'Geef me een arm, Metje, dan lopen we naar de haven.'

'Maar dan zal…'

'Precies, dan weet iedereen hoe laat het is, en dan hebben ze tenminste ook positieve dingen om over te kletsen. Twee huwelijken bij de familie Huisman, nou nou nou!'

'Loop je niet een beetje al te hard van stapel?'

'Je hebt natuurlijk gelijk. Je weet nog niet eens of je mij wel hebben wilt. Kom maar mee.'

Ze stak haar arm door de zijne, rechtte haar rug en keek glimlachend voor zich uit.

'De gordijntjes bewegen en het is ineens bijzonder druk achter de spionnetjes,' meldde Meeuwis, niet in het minst verlegen.

'Ze hebben dominee vanmiddag zien komen. Straks denken ze nog dat jij en ik... je weet wel.'

'Wel, dan is de tijd onze beste vriend om te bewijzen dat ze zich vergissen,' grinnikte hij, niet in het minst uit het veld geslagen. Het begon al te schemeren. Metje merkte dat ze moe was. Die ochtend had ze gewerkt, vanmiddag was er dat uitputtende gesprek geweest en nu, wel, wat er nu gebeurde was natuurlijk ook geen sinecure. Hoewel, jonge mensen die verkering kregen trouwden lang niet altijd met elkaar, dus er was altijd nog een ontsnappingsroute als ze er in de komende tijd spijt van mocht krijgen.

Niet veel later stonden ze bij de rivier. Metje haalde diep adem. Ze voelde zich niet gespannen naast Meeuwis en dat was weinig eerder voorgekomen, stelde ze verbaasd vast. Ze keek door haar wimpers naar hem op. Zijn gezicht stond rustig. Een sterke man, besefte ze. Rechtlijnig misschien, maar wel een harde werker. Zijn moeder was al jaren weduwe en had hem en zijn twee oudere zussen alleen opgevoed. Een broertje was al op ongeveer zesjarige leeftijd verdronken, herinnerde ze zich.

'Hoe moet dat eigenlijk straks met je moeder, als jij gaat trouwen en geen kostwinner meer bent? vroeg ze na een lange stilte die toch niet drukkend was.

'Daar moeten we het later over hebben. Mijn vader was een boerenzoon en toen zijn broer die op de boerderij kwam hem uitkocht, heeft hij van dat geld een degelijk huis gekocht. We huren het dus niet, het is ons eigendom. Niettemin heeft mijn moeder na het sterven van vader altijd moeten sloven om ons te eten te geven. Na zijn dood begon ze mutsen te wassen en te strijken om ons te eten te kunnen geven, dat weet je. We hebben altijd zuinig geleefd. We zouden kunnen overwegen bij haar in huis te gaan, maar daar moeten we eerst maar eens goed over nadenken. Want als jij dat liever niet wilt, dan doen we dat niet. Dat zijn allemaal zorgen voor later, Metje. Nu heb ik maar zorg over een ding.'

'Wat dan?' wilde ze weten.

'Dat jij over een paar dagen of weken ontdekt dat je je mee hebt laten slepen door het moment, en dat je er spijt van krijgt dat mensen nu denken dat wij het eens geworden zijn.'

'Ik geloof het niet,' antwoordde ze voorzichtig. En ze verbaasde zich er zelf over dat ze dat oprecht meende.

Hij grinnikte hoopvol. 'Ik zal mijn uiterste best doen mezelf van mijn beste kant te laten zien. Kom je morgen koffiedrinken bij mijn moeder? Ze zal blij voor me zijn. Ze heeft zo vaak gezegd dat ze je aardig vond en dat jij wel een meisje voor mij zou zijn.'

'Dat meen je niet!'

'Jawel hoor. Kom mee, nu komt de slechte kant in me boven, en misschien lijk ik meer op mijnheer Koen dan je prettig vindt, want ik zou op mijn beurt ook wel even met jou in dat steegje willen verdwijnen om je een zoen te geven.'

Ze schrok niet, maar giechelde. En de zoen viel allesbehalve tegen.

Die nacht bleef het opnieuw onrustig bij Huisman. Huib sliep thuis en hij sliep als een roosje. Metje draaide keer op keer heen en weer, maar uiteindelijk besefte ze dat ze er best een goed gevoel bij had, dat ze zich de aandacht van Meeuwis die avond aan had laten leunen. Ze wist hoe hij ertegenaan keek. Voor hem waren er geen gevoelens van twijfel. Hij hield van haar en wilde zijn leven met haar delen. Een gezin met elkaar stichten. Voor het eerst durfde ze een beetje aan een toekomst met hem samen te denken en het verraste haar dat ze dat helemaal geen afschrikwekkende gedachte vond, maar dat ze er zelfs rust bij ging voelen. Ze zou niet overschieten. Als het meezat, kreeg ze kinderen van zichzelf. Meeuwis had goed werk, vast werk. Hij was niet rijk, maar met rijke mensen zoals de familie De Beijer voelde ze zich niet eens op haar gemak. Armoede zou ze met hem niet kennen en omdat haar moeder wat dat betreft zorgen genoeg had gekend, zag Metje daar zeker het belang van in. Het voelde goed, stelde ze na een hele tijd onrustig draaien in de bedstee vast. Toen kon ze eindelijk slapen.

De zaterdagavond voor ze naar Rotterdam zouden vertrekken voor het huwelijk van Huib en Inge, schoof Meeuwis een gouden verlovingsring aan Metjes vinger. Het voelde goed, besefte ze. Ze zouden niet het komende voorjaar, maar pas het jaar daarop gaan trouwen, zodat ze nog een hele tijd konden sparen. Er was afgesproken dat ze in het ouderlijk huis van Meeuwis gingen wonen en zijn moeder zou dan bij hen inwonen. Vrouw Tol was een rustige vrouw, bescheiden, maar ze had reuma en bewoog zich de laatste jaren nogal moeilijk en had ook vaak pijn, waardoor ze wat humeurig kon zijn. Zij zou na het huwelijk de mooie kamer betrekken. Ze zou haar andere kinderen een bedrag in spaargeld uitkeren, zodat het huis voor Meeuwis zou zijn in ruil voor verzorging voor de rest van haar leven. Meeuwis had zijn moeder echter wel duidelijk gemaakt dat deze regeling goed kon werken voor hen allemaal, maar dat Metje vanaf het moment dat hij met haar getrouwd was de huisvrouw was, en dat zijn moeder en zijn vrouw wat dat betreft elkaar niet voor de voeten moesten gaan lopen. Het huis had een grote tuin, waar Meeuwis groenten verbouwde en zelfs wat aardappelen, waardoor de kosten van het eten behoorlijk werden gedrukt, en er was een eigen huisje in de tuin, zodat niet zoals bij haar thuis meer gezinnen een enkele plee moesten delen. Ze hadden ook een eigen waterput en geen gemeenschappelijke, zoals hier achter de eenvoudige huizen waar zij woonde. Er waren tegenwoordig wel huizen die een waterleiding hadden, maar dat was lang nog niet overal het geval, en bovendien was er een strijd gaande in veel kerken, of een waterleiding eigenlijk wel was toegestaan. Sommige kerken beweerden dat het zondig was om water te tappen uit een waterleiding en in erg strenge gezinnen timmerden de vaders een houten kastje om de kraan, zodat die niet gebruikt kon worden en men wel gedwongen was de oude gang van zaken in ere te houden. Ach, maakte dat uit? Het water was tot voor kort zo schoon geweest dat schippers op de rivier gewoon rivierwater konden gebruiken om te drinken, al was dat allemaal aan het veranderen met de komst van stoomboten die veel vuiligheid op de rivier achterlieten, en ook afval, urine en zelfs ontlasting werden nu eenmaal gewoon overboord gezet.

Metje lachte naar Meeuwis. Ja, in de afgelopen weken hadden ze elkaar steeds beter leren kennen, en ze had geen spijt gekregen van haar beslissing dat ze met hem ging trouwen. Nee, een allesoverheersende liefde met wilde emoties was het niet, niet van haar kant, maar het voelde goed, rustig, ze was tevreden. Meeuwis beheerste zichzelf goed en zou haar niet in de problemen brengen. Dat ze niet halsoverkop een huwelijk aan zouden gaan, betekende ook dat ze nog een poos kon blijven werken. Ze had het naar haar zin op de fabriek. Drie weken geleden was juffrouw Vermeulen een week ziek geweest en de heren waren erg tevreden geweest over de manier waarop zij de werkzaamheden van de juffrouw had waargenomen. Ze verdiende er goed en als postbode had Meeuwis ook vast werk met een behoorlijk inkomen. In de tijd voor hun huwelijk konden ze daarom sparen, want getrouwde vrouwen mochten niet werken en ze zou dan ook worden ontslagen zodra ze ging trouwen. Dat was overal zo. Pas als een vrouw om welke reden dan ook haar man verloor, moest ze wel uit werken, want vanzelfsprekend moest de kost dan toch worden verdiend. Het was een schande om van de diaconie afhankelijk te worden en armenzorg nodig te hebben.

De rit naar de stad had Metje de nodige voorpret bezorgd. Toen ze een jaar of tien was geweest, was ze ooit een keer met haar ouders naar Dordrecht geweest, en dat was de enige keer eerder in haar leven dat ze het eiland waar ze was geboren en opgegroeid, verlaten had. Nu keek ze haar ogen uit, dicht naast Meeuwis in de kille tram gezeten. Het rook er naar roet en kolen. Het schokkend en piepend remmen van de stoomtram en het weer optrekken bezorgde haar soms een naar gevoel in haar maag, maar alles werd meer dan goedgemaakt door alles wat ze onderweg zag. Vooral toen ze over de Barendrechtse brug reden, het eiland af, keek ze haar ogen uit. Er zeilde net een vrachtschip onder de brug door en daar reden zij dus hoog en droog overheen. Raar vond Metje dat.

Ze huiverde ondanks de warmte van de dikke cape die ze onlangs van Meeuwis had gekregen bij wijze van verlovingsgeschenk. De smalle gouden ring om haar linkervinger blonk in de laagstaande winterzon. Vandaag trouwden Huib en Inge, en dat was de reden waarom de hele familie, inclusief Cees en Antje, bij wie de nieuwe zwangerschap al goed zichtbaar begon te worden, op reis waren gegaan. Om dat te kunnen betalen hadden ze wekenlang alle centen opzijgezet die ze maar even konden missen en Meeuwis had voor haar en zichzelf betaald. Cees had het geld voor de reis van zijn boer gekregen, dat was wel heel aardig, vond ook vader, zeker omdat het om een huwelijk ging dat de tongen in het dorp danig in beroering had gebracht. Meeuwis had Metje toegefluisterd dat haar vader zich schaamde omdat zijn zoon een huwelijk sloot waar de mensen met recht wat van te zeggen hadden. De familie van Inge zat verderop in dezelfde tram, maar woorden tussen beide families werden nauwelijks gewisseld. Van een hartelijke omgang met elkaar zou het mogelijk nooit komen, maar dat hoefde ook niet, vond Metje. Als ze elkaar maar recht in de ogen konden kijken en elkaar groetten als ze elkaar in het dorp tegenkwamen.

Hilly en Izak drukten hun neuzen zo ongeveer tegen de ruiten toen de stoomtram met een roetpluim luid fluitend de straten van de grote stad binnenreed. Bij het eindstation in de Rosestraat stonden Huib en Inge innig gearmd op de familie te wachten. Er was nog overwogen dat ze toch in het dorp zouden trouwen op het gemeentehuis, want dat zou veel reiskosten gescheeld hebben, maar besloten was dat toch niet te doen. Straks zouden ze in het nieuwe huis van het tweetal, waar Huib inmiddels een week of vijf woonde, koffiedrinken en een broodmaaltijd gebruiken, zodat iedereen het gezien had, en dan zouden ze in de middag weer teruggaan naar het dorp. Er werd gelachen en er werden handen geschud. Moeder kreeg nu al een paar tranen in de ogen en niet veel later liep de hele optocht over de bruggen de eigenlijke stad in, op weg naar het gemeentehuis.

Inge droeg geen witte bruidsjapon. Dat gebruik vond weliswaar steeds meer ingang, maar dan uitsluitend in de betere kringen, want een dure jurk die je maar een keer in je leven droeg, dat was toch een vorm van verspilling waar een gewoon mens zich niet snel aan waagde. Ze had een nieuwe donkerblauwe zondagse japon genaaid en Huib had in al die uren het hun toegewezen huis opgeknapt en alles grondig geverfd. Inge kon goed naaien, stelde Metje in stilte vast. Ze ging naast haar broer lopen. Huibs ogen straalden vandaag en hij keek nog even liefdevol naar Inge als hij steeds had gedaan.

'Eindelijk,' glimlachte hij tegen Metje. 'We hebben lang op deze dag gewacht, Metje, en eerlijk gezegd heb ik mezelf ook weleens wanhopig afgevraagd of het er ooit nog van zou komen.'

'Kan Inge wennen in de stad?'

'Jawel, al is het duidelijk dat ze het dorp en haar ouders mist. Maar ze heeft haar verleden niet in Oud Beijerland liggen. Ze zijn immers al eerder uit hun Brabantse dorp vertrokken. In het voorjaar gaan we daar bij wijze van verlate huwelijksreis een keer kijken, dan laat ze me alle dierbare plekjes uit haar kindertijd zien.'

Ze kneep hem in zijn arm. 'Ik ben zo blij voor jullie.'

'En ik voor jou.' Hij greep haar hand vast en bekeek de verlovingsring. 'Dus je hebt toch iemand gevonden. Houd je van Meeuwis?'

Ze aarzelde niet. 'Ja, inmiddels wel. Ik ben weleens bang geweest om over te schieten.'

'Dat weet ik. Sommige vrouwen trouwen daarom met een man van wie ze niet van houden, en ik hoopte van harte dat jou een beter lot beschoren is.'

'Dat is het. De liefde is voor mij niet zo allesomvattend gekomen als voor jou en Inge, maar het voelt rustig en het voelt goed en daar ben ik meer dan tevreden mee.'

'Jammer dat je niet sneller trouwt. Dan kwamen we weer naar het dorp, en dat zou Inge goedgedaan hebben.'

'We willen sparen. Meeuwis wil dat we onze eigen meubelen kunnen kopen en het niet hoeven te doen met de afdankertjes van een ander, zoals zoveel jonge stellen.'

Hij knikte. 'Fijn dat je zo'n goede baan hebt gekregen op de fabriek.'

Ze waren snel bij het gemeentehuis en Metje was wat schrikkerig door het drukke verkeer hier. Handkarren, rijtuigen, de paardentram, alles krioelde door elkaar heen, het was een chaos van mensen en dieren. Er waren zelfs enkele fietsen te zien, die zag je nog maar nauwelijks op het platteland, terwijl het toch wel heel handig was, omdat je je op die manier veel sneller verplaatste dan lopend. Maar ja, een fiets was verschrikkelijk duur en als je nauwelijks te eten had, was er geen denken aan om voor een dergelijke luxe geld opzij te kunnen leggen.

Inge was zenuwachtig geworden toen ze het statige gebouw binnengingen, waar het inmiddels druk was geworden. Veel mensen trouwden op de dag dat het gratis was en dat ging met meerdere paren tegelijkertijd. Ze waren vroeg en moesten nog bijna een uur wachten eer ze aan de beurt waren.

De ceremonie was kort en zakelijk, maar zowel Inge als Huib straalden toen ze het jawoord uitspraken, en moeder moest zelfs een traan uit haar ogen pinken. Het was kil, zo te moeten trouwen, was de gedachte die bij Metje overheerste. Gelukkig kon ze met Meeuwis wel in de kerk hun huwelijk laten bevestigen. Zijn hand greep de hare. Hij keek haar onderzoekend in de ogen. Metje glimlachte. Het is goed, besefte ze. Ze zou een goed leven met hem krijgen. Ze was rustig en ja, misschien kon ze het gevoel dat ze erbij kreeg zelfs wel geluk noemen. Ze glimlachten naar elkaar. En toen kreeg Metje zelf ook een traan van ontroering in de ogen. Snel stonden ze weer buiten. Handen werden geschud. Een woord als 'gefeliciteerd' werd op deze dag niet geuit, maar wel wensten de ouders het kersverse echtpaar een gelukkig leven toe. Daarna ging het terug over de bruggen naar een huis in een van de zijstraten op Zuid. Huib liet hun trots een tweekamerwoning op de eerste verdieping zien, met een eigen keukentje en een eigen toilet. Er was een kamer, een slaapkamer, een alkoof en op een deel van de zolder, die met andere mensen gedeeld moest worden, konden ze in de winter de kolen opbergen en konden later ook kinderen slapen. Huib en Inge waren dolgelukkig met dit huis, het was een stuk beter dan de krotwoningen die je in de binnenstad boven de rivier nog al te vaak zag in de volksbuurten. Er waren plannen, vertelde Huib, om in een deel van de stad veel van die oude krotten af te breken en te vervangen door betere huizen waar de mensen minder vaak ziek zouden worden. De woningen in Rotterdam-Zuid waren later gebouwd en hier werd overal volop gebouwd om de toestroom van mensen die in de sterk groeiende stad kwamen werken, op te kunnen vangen. De huizen hier lagen ook het dichtst bij de havens, waar de meeste arbeiders hun brood verdienden. Metje hielp Inge met het ronddelen van soep. Ze had bij alle buren kommen en lepels geleend en verder had ze schalen met brood klaargemaakt, met kaas en worst erop vanwege de feestelijke gelegenheid, en er was ook krentenbrood. De sfeer tijdens het eten was bijna gezellig te noemen, meende Metje. Moeder zat naast vrouw Timmers en beide vrouwen praatten eigenlijk voor het eerst ontspannen met elkaar. Na het eten vroeg Huib om stilte om hardop een dankgebed uit te spreken. Nu pinkten beide moeders opnieuw een traan uit hun ogen.

Niet veel later bracht het jonge echtpaar de gasten terug

naar het tramstation, zodat iedereen met het avondeten gewoon weer thuis zou zijn.

'Moe?' vroeg Meeuwis toen ze die avond na het eten van de opgewarmde erwtensoep die moeder gisteren al had gekookt, nog even samen in het klompenhok stonden om afscheid te nemen. Zoals altijd stond haar vader erop dat de deur op een kier open zou blijven, zodat hij in de gaten kon houden of het er allemaal wel netjes aan toeging. Maar elkaar kussen was toegestaan en daarin liet Meeuwis zich dan ook niet onbetuigd.

'We kunnen nog besluiten om toch dit voorjaar al te trouwen,' fluisterde hij met een lichte, opgewonden klank in zijn stem.

Metje grinnikte. 'Ik ben blij voor Huib en Inge, maar ons plan is beter, Meeuwis. We beginnen met onze eigen spullen en niet tweedehands, als onze grote dag komt. Bovendien werk ik best met plezier in de fabriek. Weet je wel dat we deze campagne de dubbele omzet hebben gedraaid vergeleken bij die van vorig jaar? Dat zegt mijnheer De Beijer.'

'Zal wel,' was het commentaar, en de hoeveelheid bieten interesseerde hem blijkbaar geen zier, want hij trok haar dicht tegen zich aan en Metje glimlachte. Zo was het goed, wist ze. Het was niet slecht voor een man om wat geduld te moeten oefenen, en zij had er heel wat minder moeite mee. Ze sloot haar ogen toen hij haar kuste. Ze was gelukkig, besefte ze. En Huib en Inge waren dat ook, ten slotte. De fabriek bracht welvaart in het dorp en hun gezin profiteerde daar volop van mee. Ze leunde vertrouwelijk tegen Meeuwis aan.

'Ik hou van je,' fluisterde hij in haar oor.

'Ik ook van jou,' fluisterde ze terug. En ze meende het, ontdekte ze. Ze meende het werkelijk.